［著］

ピーター・スノウ＋アン・マクミラン
Peter Snow & Ann MacMillan

［訳］

安納令奈＋笹山裕子＋中野眞由美＋藤嶋桂子

［ヴィジュアル版］

歴史を動かした

TREASURES OF WORLD HISTORY

The Story of Civilization in 50 Important Documents

重要文書

ハムラビ法典から宇宙の地図まで

原書房

［ヴィジュアル版］

歴史を動かした重要文書

ハムラビ法典から宇宙の地図まで

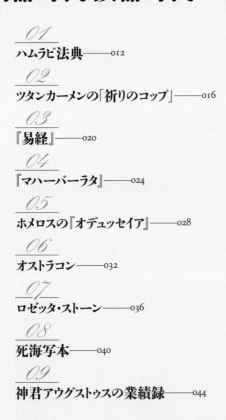
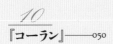

第**3**部

革命の時代［1776年－1893年］

第**4**部
20世紀以降[1903年–現在]

序文

ダン・スノウ

実物に勝るものはない。いまや、目の前になんでも呼び出せる。人類の5千年にわたる知的、かつクリエイティブな活躍のすべてが一瞬にして、目の前のスクリーンに映し出せる。すると実物の文書はますますもって、光を放つ。それらはその写しをはるかに超えた存在であり、ただの言葉のアッサンブラージュ（寄せ集め）ではない。人、アーティスト、思想家が生み出したものであり、特定の時代や場所とつながっている。

実物の文書の歴史とその背景は、その物理的な質感によって輝きを増す。ごつい岩と洗練された美しさが奇妙に共存する『ロゼッタ・ストーン』、取り扱いには細心の注意が必要な『死海文書』、怒りを秩序立てて伝えた『アメリカ独立宣言』──封筒の裏に殴り書きされた、ビートルズの伝説となった北米ツアーの予定表ですら、宝物である。内容だけではなく、文書の形状も含めてそういえる。

　後世になって振り返ると、その価値はとてつもなく大きくなる。なぜなら、こうした文書、物語、スピーチや論争によって人々がどんな行動をとったかを知っているからだ。地球上の動物で人間だけが、思想のために命を投げ出す。その思想とは、計画、宗教、これからも決してまみえることのない、あるいはとうの昔に亡くなっているであろう、だれかの訴えだ。わたしたちは言葉、詩、音楽に口説かれ、お金を寄付することもあれば、自分たちに不利になる政策でも投票してしまうこともある。本書で選ばれた貴重な文書記録は最初に書かれ、刻まれ、あるいは印刷されてからずっ

と、人々を刺激し、うちのめし、元気づけ、動かしてきた。そのおかげで、わたしたちは身の回りのルールや常識、倫理や信条といった目にはみえない基盤を作れた。文書のおかげで、いまだ解き明かされていない不思議な経緯でわたしたちがたまたま生きているこの宇宙について、ある程度理解できるようになった。年月とともにその影響力が色あせたものがある。その魅力がいまだ衰えぬものもある。たとえば『アメリカ独立宣言』はアメリカの共和政の源泉としてその重要な地位を保ち続けているし、メアリ・ウルストンクラフトの『女性の権利の擁護』は発表された当時よりもむしろこの現代で、人々に影響を与えている。

　自分の子ども時代が、書籍という体裁で目の前で展開されていると奇妙な感じもするが、なかなかいい。こうした数々の至宝を選んだふたりの優れた著者は、わたしの父と母なのだ。両親は自分にとってかけがえのない本や地図、物語や音楽を夫婦で共有している。だから当然、そのほとんどがわたしにとってもじつになじみ深い。ベートーヴェンの『交響曲第五番』を家族できい

たのは、重要な史跡を訪ねる自動車旅行のときだ。わたしたちはその曲を行きも帰りも車のなかでかけていた。『ゲティスバーグの演説』も、ネルソン・マンデラの言葉も、アンネ・フランクの日記も、家族全員がよく知っている。こうした宝のような記録は人類共通のものだが、同時に特別なものでもあり、家族やコミュニティの歴史に深く織りこまれている。そのひとつひとつに意味を与えるのは、読み手の思い入れや愛着だ。そういう文書は全人類とつながっているものであると同時に、個人的なものでも——わたしたちひとりひとりのものでもあるのだ。

2019年11月

左｜アンネ・フランクの日記の1ページ。1944年8月1日の項（160ページ参照）。

はじめに

ピーターとわたしたちの息子ダンとの共著 Treasures of British History が好評だったので、こんなことを思いついた。イギリスだけではなく、視野を広げたらどうだろう？　夫婦そろってジャーナリストとして生きてきた経験から、ふとこんなテーマに取り組んでみたくなった──世界の歴史を最もよく描き出せる50の重要文書を選んでリサーチしたらどうなるだろう？　今回は、世界全体をカンヴァスに、わたしたちは絵を描く。まずはテキストを200点ほど選び、それをどうやって絞るかをめぐり、いいたいことを言い合った。そうやって、4千年の時を駆け抜け、五大陸すべてを網羅しようという意見がふたりの間でまとまった。

本書は古代バビロニア時代の立法者による法令から始まり、現代における宇宙の気の遠くなるような大きさについての最新の大発見で終わる。文書の多くはヨーロッパと北米から選んだが、中国、南アフリカや、オーストラリアといった遠く離れた国々にも目を向けている。

　そのなかには、歴史の流れを変えた重要文書がある。イギリスの『マグナ゠カルタ』、フランス革命の火蓋を切った『球戯場の誓い』、そして『アメリカ独立宣言』。レオナルド゠ダ゠ヴィンチの未来を先取りしたメモやスケッチ、それにシェイクスピアの「ファースト・フォリオ」に集められた作品は、芸術や文学の分野における歴史の節目となった。ブルネルの船舶技術の創意工夫や、バーナーズ゠リーの World Wide Web による技術の大躍進には喝采を贈ろう。アインシュタインの『相対性理論』や、DNA構造の発見は、科学分野における華々しい大転換点の好例だ。これに劣らず画期的だったのが、メアリ・ウルストンク

ラフトが女性の権利を求めた大胆な要求。それに、ニュージーランドが女性参政権を認めた世界初の国家となるきっかけを作った長さ270メートルにわたる嘆願書だ。わたしたちにとって、戦争と平和の歴史を語るうえで欠かせないふたつの重要文書がある。紛争終結の標準を定めたウェストファリア条約と、史上最大の陸海空軍が結集した上陸作戦 D-Day の地図だ。人間の表現という分野も忘れてはならない。ここに入るのが、アメリカ合衆国の国歌誕生のきっかけとなった走り書きの詩と、イギリスにおけるサッカーの最初のルール。それに、1枚の封筒に書き殴った数々の都市名はやがて、記録を塗り替えたビートルズのツアーになった。

　永遠に失われていたかもしれない文書もある。ツタンカーメンの「祈りのコップ」に記された感動的な銘や、アンネ・フランクの日記のばらばらになったページが残っているのは、たまたまだ。もう少しで日の目をみずに終わったかもしれない文書もあ

る。コペルニクスもダーウィンも文書発表に先立ち、キリスト教の教えに背く恐怖を克服しなければならなかった。

　本書の執筆を通して、文書記録の裏にあるドラマについて考えさせられた。ピーターにとっては、月面に着陸したときのニール・アームストロングの脈拍グラフの線は、アポロ11号の公式レポートの淡々とした文字列より胸に迫った。アンは、先駆的なファッションとなったココ・シャネルの自筆スケッチをどうしても入れたかった。

　本書の内容は、まったくもってわたしたち著者の個人的な好みで選んでいる。読者のみなさんはそのセレクションに異議を唱えるかもしれないが、それをきっかけにぜひ、自分だったらなにを選ぶのかを考えていただけたらと願う。結局のところ、人間の文明は宝の山であり、この本に収められる可能性のあった無数の文書や記録がある。そんな贅沢がこの世にあふれていることに、わたしたちは驚かずにはいられない。

ピーター・スノウ
アン・マクミラン
2019年12月

第 1 部

青銅器時代・鉄器時代

紀元前1800年頃－西暦100年頃

1

ハンムラビ法典

完全な形で現存する、成文化された法制度——その世界でも屈指の古い例として、ハンムラビ法典は文明の枠組みの重要な部分を担う。282条からなるこの法典は、メソポタミアを統治していたバビロニア王ハンムラビが定めたもの。ここにある法律は紀元前1750年頃に石柱に刻まれ、書き換えができない「石に書かれた」ものとしてはおそらく最古の例のひとつになるだろう。商取引、賃金、財産、婚姻、姦通、相続など、あらゆることを網羅しており、「疑わしきは罰せず」など、現代でも通用する「判決集」となっている。

1901年、フランスの考古学調査隊がペルシャ（現在のイラン）の古代都市スサで、3つの黒い石を掘り出した。このとき彼らは、自分たちが世界的にみても古く、重要な貴重品のひとつを発掘したとは、想像すらできなかった。現在この法典はパリのルーヴル美術館で展示されている。紀元前1792年から1750年まで古代バビロンの王であったハンムラビの割れた石板あるいは「石碑」は、巨大な指が天を指しているようにみえる。材料は玄武岩で、高さ2.25メートル。上部にはハンムラビとともに古代メソポタミアの太陽、正義、道徳、真実の神であるシャマシュがレリーフ（浮き彫り）として彫られ、正面は16コラム（段）、背面は28コラムにくさび形文字が刻まれている。アッカド語で記されているが、これはバビロニア帝国で普段使われている日常語である。これなら、だれが読んでも理解できたのだろう。

優れた戦士だったハンムラビは戦果をあげ、小さな都市国家だったバビロンの領土を、ユーフラテス川とティグリス川に挟まれた「メソポタミア」と呼ばれる肥沃な地域全体にまで広げた。彼は征服した地域に住む異なる文化の人々が、平和に共存するべきだと力説した。碑文のなかでハンムラビは自分のことを「民を守る王」と呼び、この法を書き記したのは「強者が弱者を虐げないように、寡婦や孤児を保護し……すべての紛争をおさめて傷ついた者を救うため」だとし、この法律の目的を「この国に正義の支配をもたらし、悪行と悪人を滅ぼし……国の民を

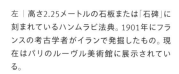

左｜高さ2.25メートルの石板または「石碑」に刻まれているハンムラビ法典。1901年にフランスの考古学者がイランで発掘したもの。現在はパリのルーヴル美術館に展示されている。

教え導き、人間の幸福を増進すること」としている。282条に及ぶ法律は主に仕事、財産、家族に関する条項だ。それらの条項はハンムラビの国の民、そして現代にいたるまでの歴史にもはかりしれない影響を与えた。

　この法典には、証拠によって有罪が確定するまで、被告人は無罪と推定されるべきであるという推定無罪の世界最古の判決例が記されている。また、係争中の人のために、自分の主張を裏づける証人を複数ともない、裁判官の前に出ることを定めた画期

上｜バビロニアの言語、アッカド語をくさび形文字で記した282条の法律。196条では、「人の目をそこなった者は、自分の目を取られる」としている。これは世界でも屈指に古い、同害復讐法の判決だ。

的な規定もある。ほかにも最低賃金が定められており、たとえば小作人や牛や小家畜を放牧させる牧夫は「年間8クル（1クル＝303リットル）の大麦を受け取れる」のに対し、牛追いや船頭はたった6クルになっている。この法典では、「上層市民」「一般市民」「奴隷」の3つの階級を定めている。たとえば医師の報酬は患者の階級によって変わ

る。221条では「医師が一般市民の骨折や病気を治した場合、患者は医師に銀5シケルを支払う」となっているが、223条では「患者が奴隷の場合、雇い主が2シケルを支払う」とある。また、罰則も記されており、残酷なものが多い。息子が父親を殴った場合、その手を切り落とす。もし養子となる者が養父母を親として認めない場合、その舌を切り落とさなければならない。乳母が他人の子どもに授乳している間に死なせた場合、乳房を切り取られる。母と息子の近親相姦は、どちらも火刑となる（父親が娘への近親相姦を企てた場合、追放されるだけだ）。姦通罪、強盗罪、偽証罪、魔術など28の罪には死刑判決が下される。

最も重要な特徴は、旧約聖書の「目には目を」でよく知られる「タリオの原則」という復讐法の初期の判決が含まれていることだ。196条には「他人の目をそこなった者は自分の目を取られる」と書かれている。また、懲罰の厳しさも階級によって異なる。たとえば199条では「他人の奴隷の目をそこなった場合、その奴隷の価値の半分を支払わなければならない」となっている。

左｜碑の上部に刻まれた、ハンムラビ（立っている人物）。古代メソポタミアの太陽、正義、道徳、真実の神であるシャマシュから、王権の象徴である杖と腕輪を受け取っている。ハンムラビはこの碑文で、この国に正義をもたらすことがこの法典の目的だと高らかに謳っている。

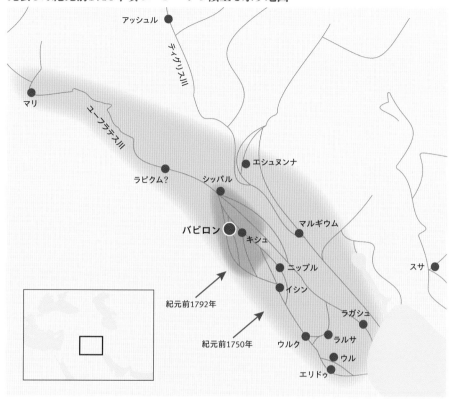

ハンムラビが即位した紀元前1792年頃と、死去した紀元前1750年頃のバビロニアの領土を示す地図

アッシュル

ティグリス川

マリ

ユーフラテス川

ラビクム?

シッパル

エシュヌンナ

バビロン

キシュ

マルギウム

ニップル

スサ

イシン

ラガシュ

紀元前1792年

紀元前1750年

ウルク

ラルサ

ウル

エリドゥ

　歴史学者は、侵略軍が紀元前12世紀にバビロニアの都市シッパルからハンムラビ法典が書かれた石碑を奪い、スサに運んだと考えている。そこでその石碑は何世紀ものあいだ、どうにか消失をまぬがれた。発見された西暦1901年当初は明文化された世界最古の法典とみなされたが、その後、ハンムラビ法典より古い、紀元前21世紀のものと思われる法典がみつかる。しかしそれは、ハンムラビ法典ほど包括的なものではない。ハンムラビ法典がその後の時代にも影響を与え続けていたのは明らかだ。たと

えば、ハンムラビの統治時代から1,300年後、紀元前5世紀に中東で発見された粘土板にも、その一部がみられたことからもそれがわかる。現代のわたしたちからすると、ここにあるハンムラビの法律の多くは非自由主義的に思えるかもしれない。だとしても、人類の歴史のなかでとりわけ古い、包括的なルール規定であることに変わりはない。ハンムラビの肖像は現在、歴史に残る立法者の肖像画とともに、アメリカ連邦議会下院の議場、アメリカ最高裁判所、そして世界各地の法廷に飾られている。

ツタンカーメンの「祈りのコップ」

1922年、イギリスの考古学者ハワード・カーターが、王家の谷にあるツタンカーメンの有名な墓を開けたときに、最初にみつけたのがこの貴重な宝だ。この器には若い王に永遠の命を約束する、次の言葉が刻まれている。「あなたの魂が生きますように。あなたが悠久の時をすごしますように。テーベ〔古代エジプトの都市〕を愛するあなたが北風に顔を向けて座り、その目で幸せがみられますように」。この墓はおよそ紀元前1330年頃のものであり、まぎれもなく史上最大の考古学的発見であった。

イギリスの考古学者ハワード・カーターは、どちらかというと内気な性格だったが、テリア犬のようにしつこくて粘り強かった。1890年代からエジプトの過去の宝物を探していた彼は、1922年には「王家の谷」を調査していた。「王家の谷」はわたしたちふたりが——ほかの多くの人と同じように——上エジプト（エジプト南部）の旅で魅了された印象深い場所だ。王家の墓はそれまでカーターをはじめとする考古学者たちが調べ尽くしていたが、どれも墓泥棒に盗掘されたあとだった。しかし、まだ発見さ

左｜最初の部屋「前室」。イギリスの考古学者ハワード・カーターが墓を開けたときの状態。ツタンカーメンの来世に必要な家具や道具などがしまわれている。

れていないファラオの墓があった。それは、紀元前14世紀末頃に幼くして亡くなった少年王ツタンカーメンの墓だ。王家の墓を発見するというカーターの強い決意が揺らぐことはなかったが、裕福な出資者であったカーナーヴォン卿はしびれを切らしていた。もう1シーズン待っても墓がみつからなければ資金援助を打ち切ると、カーナーヴォン卿はカーターにきっぱりといった。

　ある日、カーターの発掘チームのために水を運んでいた少年が、ラムセス6世の広大な空の墓の入り口の横に石段があるのをたまたまみつけた。1922年11月4日の朝のことだ。カーターが胸を躍らせチームにあたりを発掘させると、16段の階段が現れた。階段を上ると入り口があり、そこにはカルトゥーシュが、つまりツタンカーメン王の名が刻まれ、枠で囲まれていた。その先には通路があって、その突き当たりに別の扉があった。カーターは日記で、11月26日にカーナーヴォン卿とともに墓に入ったときのたいへんな興奮ぶりを記している。「残っていたがらくたをすっかり片付けると最後にまだこじ開けられた形跡のない、塞がれた入り口が現れた。わたしたちは左上に小さな穴をあけ、その先に何があるのかをたしかめた」。

　ロウソクの明かりをたよりに、カーターは自分が開けた穴をのぞいた。

　カーナーヴォン卿がわたしにいった。「なにかみえるか？」わたしは答えた。「ええ、素晴らしいものが」。その穴を慎重に、ふたりでのぞけるくらいの大きさに広げた。そして、懐中電灯をつけ、ロウソクの数を増やしてから、一緒になかをのぞいた。明るくなると驚くべき宝物の数々が目に入り、わたしたちは言葉では言い表せないほどの感動と驚きを覚え

左｜蓮の花の形をしたアラバスター製の「祈りのコップ」。四角のなかに王の名前と称号があり、ツタンカーメンの永遠の命を願う言葉が縁にぐるりと刻まれている。

　た。その感動には戸惑いと奇妙な感情とが入り混じっていた。

　そこにあったのは、約3,400年ものあいだ発見されずにいた王家の墓の信じられないほど豪華な副葬品だった。5,500点以上の品々を彼らははじめて目にした。なかには、金で作られたものや宝石で飾られたものがあった。ツタンカーメンのミイラ化し

た体を囲む4つの小部屋に、永遠に生きると信じられていた来世で必要なものがすべて収められていた。カーターが最初に目にした品のひとつは、アラバスター製［白色の鉱物］の優美な「祈りのコップ」だ。この器には、王の「永遠に続く来世」を願うという短い言葉が刻まれている。この言葉はこの豪華絢爛な埋葬がなにを意味しているかをはっきりと教えてくれているように思える。

ここでカーターは世紀の大発見をする。少年王ツタンカーメンそのものをみつけたのだ。入れ子になった4つの厨子のなかに、サルコファガス（石棺）が3つ、やはり入れ子状になっている。最後に現れる純金製の石棺に、王のミイラが納められていた。王の頭は宝石をちりばめた布で巻かれ、今や世界的にも有名になったみごとな黄金のマスクで覆われていた。

こうした貴重な品々をすべて、みられるようになる。2022年以降、カイロ近郊のギザにできる大エジプト博物館で、カーターやカーナーヴォン卿が発見した当時の状態を再現すべく、こうした副葬品を修復して展示することになっている。かつてわたし

たちがエジプト考古学博物館を訪れたときは、墓内部の想像を絶する豪華さだけでなく、その職人の手仕事の質の高さにも魅了されながら、丸一日をすごした。紀元前1550年頃から紀元前1290年頃まで続いた第18王朝の末期に当たるこの時代のエジプトは、ツタンカーメンの至宝に代表されるように、古代エジプトの芸術が開花した時期だ。

ツタンカーメンの人生、またその死については、エジプト史のなかでもとくに多くのドラマをはらむ。議論の余地が残るが、ツタンカーメンはアメンホテプ4世の息子とされている。アメンホテプ4世がエジプト史に遺した一世一代の功績は、エジプトの古代神話を彩った大勢の神々を退けて太陽神アテンを唯一の神とし、新たにみずからの都を「アケトアテン」（現在のアマルナ）と呼ばれる場所に築いたことだ。この場所はナイル川の東岸にあり、都になる前にはなにもない土地だった。ツタンカーメンは9歳か10歳で王位を継承したあと、異母姉と結婚。マラリアに罹患し、しかも体が不自由で病弱だったので、即位後わずか9年で亡くなった。彼は幼い頃から、父親の唯一神信仰のなかで生まれ育ったが、神官たちはその信仰を異端だとみなしていた。そのためツタンカーメンは、昔通りの信仰にもどり、都をテーベにもどすように神官たちに説得された。ツタンカーメンの治世は短く、とりわけ目立った功績はなかった。しかし、彼を埋葬した墓は彼の名声を永遠に揺るがぬものにした。

左｜王の遺体を守っていた4つの黄金張り木製厨子のうち、2番目の厨子の扉をあけるハワード・カーター。

3

『易経』

『易経』は「変化の書」とも呼ばれ、世界的にみても圧倒的に古く、あまりにも有名な中国の書物のひとつ。現在でも広く活用されている。3千年以上前に占いの説明書として発祥し、未来を占うのに使われていたと専門家は考えている。何世紀にもわたり学者、詩人、哲学者、王たちがこの知恵の書に自分の考えを足していき、大成させた。いかようにも解釈ができるとはいえ、『易経』は森羅万象のことわりを知る重要な手引書とみなされており、東洋思想に大きな影響を与えている。

1994年、香港の古物市で世にも貴重な書写文書が発見された。それは華中の古代国家「楚」（紀元前8世紀–紀元前3世紀）の墓地から盗掘されたものだった。58枚の竹簡に古代中国の文字が書かれたこの文書は、現在、上海博物館に所蔵されている。知られているなかでは最も古い『易経』で、紀元前3世紀頃のものだ。しかし、考古学の調査から、この文書の起源はそれよりもはるか昔にさかのぼることがわかっている。

　『易経』の発祥は謎に包まれている。一説によると、中国の創世神話の皇帝で半人半蛇の異形の神「伏羲」が作ったとされている。しかし、甲骨（ウシの肩甲骨やカメの甲羅に文字が刻まれたもの）が占いに使われていたたしかな証拠を考えると、将来についての個人的な悩みに応じていた占い師が考案者だろう。相談ごとの内容は、家族や仕事のこと、作物を植える最適な時期など多岐にわたった。占い師は質問を骨や貝殻に彫り、それを火で炙り、ひびが入ったところで、そのひびの形で未来を占った。途切れ

上｜紀元前3世紀頃の中国の古代文字がびっしり書かれた竹簡（ちくかん）。未来を予測する占いの説明書『易経』の知られているなかで最も古い版は、この竹簡でできている。

右｜多くの弟子に囲まれ
『易経』を読む中国の哲学者
の孔子。愛読しすぎて、とじ
ひもを3度も替えたという。

ていない亀裂、つまり実線（陽）は「イエス」
で、途切れた線（陰）は「ノー」を意味する。
このシンプルな占い方が年月とともに複雑
になり、1本の線が3本線（3本の横線を上から
順に並べたもの）に置き換えられた。3つの実
線と破線の組み合わせは8通りある。だか
ら、質問の答えも8通りだ。

『易経』がさらに複雑になったのは、紀元
前1050年頃、周王朝の創始者である文王が
3本線だった卦を6本線の卦に変えたときと
考えられている。これにより、実線と破線
の組み合わせから得られる結果は64通りに
なった。それぞれの卦には教えが記されて
いる。たとえば、忍耐を促すもの、結婚を

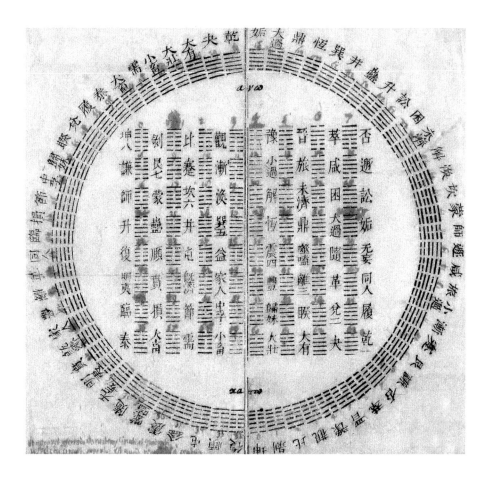

勧めるもの、災いを警告するものなどがある。文王の息子で詩人の周公旦（しゅうこうたん）は、ひとつの卦を構成する6つの線の一本一本、すなわち爻（こう）の解釈を定め、易をさらに発展させたといわれている。

　文字で書かれた最初の『易経』は、古くから伝わる口伝に基づいたもので、紀元前800年頃に登場したと考えられている。紀元前300年になる頃には、「十翼」と呼ばれる哲学的かつ倫理的な解釈が加えられた。それを機に、占いの説明書だった『易経』は知恵の書へ——つまり、［運命にたよるより］

上｜『易経』の六十四卦図。中国のイエズス会宣教師がドイツの数学者ゴットフリート・ヴィルヘルム・ライプニッツに送ったもの。ライプニッツはこの図に、自分が編み出していた新しい二進法の計算術が使われていることをみいだした。

人々がみずから考え、みずから人間性を磨き、前向きで意義深い人生を送る方法を示す手引書へと変化した。「十翼」は偉大な哲学者、孔子が書いたという説があるが、ほとんどの専門家はこれを疑う。とはいえ、孔子は手元にある『易経』の写本をたびたび手にしていたため、竹簡の綴じひもが3回も切れ、取り替えたという話が伝わってい

る。孔子はもし自分があと100年生きられるなら、そのうちの半分は『易経』の研究に費やすだろうといった。現在使われている『易経』は紀元前136年から変わっていない。そのとき、漢の武帝がさまざまな版をひとつの標準テキストとしてまとめたものが、今も受け継がれている。

　時がたつにつれ、甲骨よりも身近な占いの道具が使われるようになった。人々は占い師のところにいくより、現代人と同じようにコインなどを使い、自分で『易経』をひくようになったのだ。3枚のコインを6回投げる。投げるたびに3枚のコインの裏表の組み合わせによって、実線または破線を引く。6回コインを投げると、ひとつの卦ができる。その卦は『易経』の六十四卦のどれかに当てはまる。そこで『易経』に照らし、その卦に書かれた教えをみればいい。ただし、その教えをどのように解釈するかという問題が残る。

　『易経』は神話、ことわざ、哲学、歴史、詩を使ってこの世をひもとき、3千年もの間、中国をはじめとするアジアの人々の生活や思想に影響を及ぼしてきた。中国哲学の一派である儒教と道教はいずれも『易経』の影響を受けている。ところが、西洋人がその存在を知ったのは17世紀後半のこと。中国で活動していたイエズス会の宣教師が『易経』を翻訳したときだった。

　現代の各分野の第一線で活躍する人々の多くは、『易経』からインスピレーションを得ている。シンガーソングライターのボブ・ディランは、「驚くほど真実である唯一のもの。以上。……信じるに値する本というだけではない。あまりにも素晴らしい詩なのだ」といった。ビートルズやピンク・フロイドの歌詞にもその影響がみられるし、ヘルマン・ヘッセ、ダグラス・アダムス、フィリップ・プルマンなどの小説家の作品にも取り入れられている。しかし、この「知恵の言葉の百科事典」の説明の最後は、11世紀の中国の哲学者、程頤の言葉で締めくくろう。「『易経』が網羅する範囲は果てしなく大きい。ありとあらゆることがそこに含まれる。その奥深さをよく考え、その規律を実践する者には、テキストがなんでも教えてくれるだろう」

上｜古代中国のコイン。これを投げて『易経』を読んだ。それまでは、火で炙った動物の骨に入った亀裂を調べるという面倒な方法をとっていた。コインを投げた結果を『易経』に照らし、未来を占うやり方は今でも行われている。

4

『マハーバーラタ』

『マハーバーラタ』は、インドの知識がつまった古代の百科事典といわれている。世界でも最も古く、最も長い叙事詩のひとつに数えられ、インド文学史でも頂点に君臨する重要な作品だ。ヒンドゥー文化の発展において中心的な役割を果たし、聖書やコーラン、ホメロスやシェイクスピアの作品と並び、世界の文明に大きな影響を及ぼした手書き文書のひとつに数えられている。

1998年、インドでドラマ版『マハーバーラタ』が放映されると、国中の通りから人の姿が消えた。人々はみなテレビのまわりに集まり、古代インドの覇権をめぐって血みどろの争いを繰り広げる同じ部族のふたつの王家を描いた、スリルたっぷりのおなじみの物語をむさぼるようにみていたのだ。このテレビドラマ『マハーバーラタ』では約200万語の詩的な文章を139のエピソードに分けて放映した。

　『マハーバーラタ』は、紀元前8世紀頃に口承詩として生まれた。聖職者、語り部、歌手、舞踊団などが朗唱し、広まっていった。文書としてはじめて登場するのは紀元前4世紀頃だが、インドの古典言語であるサンスクリット語で書かれたひとつのテキストにまとめられたのは、それから700年以上たった西暦350年になってからだ。この作品はインドのヴェーダ時代（紀元前1500

右｜王家の権力闘争を描いた古代詩『マハーバーラタ』の一場面を描いた16世紀のインド絵画。パーンドゥ軍の指揮をとるアルジュナ王子（中央）が、戦闘用馬車に乗って敵のクル軍に向かって突撃する姿が描かれている。

年−紀元前500年)に実際に起きた紛争を題材にしているという歴史学者もいる。物語の中心となるのは、いとこ同士のパーンドゥ家とクル家の間で繰り広げられる激しい戦いだ。インド北部にあったバーラタ族の王国支配をめぐり、両家は対立する。『マハーバーラタ』の作者ははっきりしていないが、通説となっているのは、ヒンドゥー教徒が不老不死と信じる聖仙、クリシュナことヴィヤーサだ。この詩に登場するヴィヤーサは、争ういとこたちの祖父という中心的人物だ。ヒンドゥー教の伝説では、

ヴィヤーサがこの叙事詩を象の頭を持つ神ガネーシャに語りきかせ、ガネーシャがその牙で書き留めたとされている。

この叙事詩は約10万の二行連句や散文で構成されており、その内容は多岐にわたる。歴史、哲学、精神的な思想が、敵対するパーンタヴァ家とカウラヴァ家の戦いのなかに織りこまれている。ロマンス、陰謀、騎士道精神、道徳的な葛藤が次から次へと描かれ、挿話も満載だ。古代版『ゲーム・オブ・スローンズ』と呼ばれるのも不思議ではない。

抱き、クリシュナにどうしたらよいかとたずねる。クリシュナは自分の「ダルマ［インドの宗教・思想・仏教・哲学の重要な概念］」をまっとうしろ、つまり、戦士としての義務を果たせと助言する。インド文学で「正義の戦争」とはなにかという議論が登場するのはこれがはじめてだ。クリシュナはアルジュナに、いったん戦争が始まったら、それが大義のためであれば戦うべきだと説く。また、人生の目的や輪廻転生、その他多くの哲学的・宗教的な事柄についてもアルジュナに洞察を与える。短く、筋道の通った『ギーター』は、あらゆる社会階層に理解されやすく、ヒンドゥー教の義務、道徳、救済の手引き書として人気を博した。

『マハーバーラタ』の中核にあるのは、ヒンドゥー教で最も崇拝されている『バガヴァッド・ギーター』（ギーターともいう）と呼ばれる700連の詩だ。『ギーター』ができたのは『マハーバーラタ』のほかの作品よりも遅く、おそらく紀元前3世紀以降だと専門家は考えている。不安定な時代で、人々は戦争の倫理について悩んでいた。パーンタヴァの王子アルジュナの御者クリシュナは、対話のなかで王子に自分が神であることを徐々に明かしていく。それはクルとの重要な戦いの直前のことだった。アルジュナはいとこや友人を殺すことにふと疑問を

戦うことが自分の義務だとアルジュナ王子は心を決める。そして、マハーバーラタの4分の1を費やして、18日間の大激戦となったクルクシェートラでの戦いが語られる。インド全土から400万人近い兵士がこの戦いに参加した。クル軍は11師団、アルジュナのパーンドゥ軍は7師団。両軍は矢、剣、槍、鎚矛を使って戦う。その戦場にいたほぼ全員が死ぬ。たった1日で、アルジュナ王子の軍が、戦闘用馬車、象、騎兵、歩兵など、膨大な数の布陣を崩す様子

がこの詩で描かれる。どちらも、やむを得ず策を練って敵をあざむき、戦いを制しようとする。最終的にはパーンタヴァ軍が勝つ。しかし、あまりにも多くの命が失われ、勝利を祝う雰囲気はまったくない。戦争や暴力の無益さをテーマにしたこの詩は、何世紀にもわたってインドの指導者たちの心をとらえてきた。20世紀初頭から半ばにかけて、イギリス支配に対する非暴力の独立運動を主導したマハトマ・ガンジー

にも大きな影響を与えた。

『マハーバラータ』は編まれてからというもの、人々にとっての娯楽の原典であり、精神的なよりどころでもあり続けた。現在でも多くの人に読まれ、朗唱され、劇場や映画、テレビで演じられている。いまだに詩の登場人物にちなんだ名前が子どもにつけられている。つまり、詩にこめられたメッセージは何千年前と変わらず、今も人々に親しまれているのだ。

右上｜パーンタヴァ家の王子アルジュナと戦闘用馬車を操るクリシュナ神を描いた17世紀の絵画。
右下｜ヒンドゥー教で最も崇拝されている文書『バガヴァッド・ギーター』のところで開いた書籍版『マハーバラータ』。『バガヴァッド・ギーター』は、戦士であるアルジュナ王子にクリシュナ神が自分の哲学的な信念を伝える700連の詩だ。

ホメロスの『オデュッセイア』

ホメロスの『オデュッセイア』は、史上最高の物語のひとつだ。紀元前250年頃に作られたこのパピルスの切れ端には、ギリシアの英雄オデュッセウスがイタケ島への帰還を目指す、冒険の旅物語が記されている。これは、エジプトで発見されたものだが、当時のエジプトはギリシア語が話されるヘレニズム時代にあった。この小さな切れ端に残されたテキストをみると、発見されたときからさらに誕生から600年昔に生まれたホメロスの詩が、いかにして後世に受け継がれてきたかがわかる。

『オデュッセイア』の物語は、約3千年前から語り継がれている。紀元前700年頃にまとめられて以来、『イリアス』と並び世界文学の至宝とされてきた。「まとめられ」とここで述べるのは、本当の作者がだれなのか、どのように語り継がれてきたのかが、だれにもわからないからだ。ホメロスという人物がこの二大叙事詩を書いたのではないかといわれているが、わたしたちが今読んでいる心に残るセリフのリズムは、古代ギリシアの初期にさまざまな人が考えた詩や歌をひとつにまとめたものかもしれない。『イリアス』と『オデュッセイア』が伝えるひとつの物語は、真実なのか、伝説なのか、両方が混ざっているのかはわからないが、ギリシアの歴史で知られるなかでとりわけ古い時代の出来事が題材になっている。

その起源はともかくとして、この『オデュッセイア』はギリシア神話に登場する才知に長けた戦士オデュッセウス（ラテン語ではウリクセス）が、トロイア戦争から家族の元にもどるまでの壮大な武勇伝を描いたものである。トロイア戦争は、古代都市トロイアの王子であるパリスが、スパルタの女王である美しいヘレネと駆け落ちし、激怒したヘレネの夫メネラオスが断固としてトロイアを完全に滅ぼそうとしたことから始まった。『イリアス』で描かれているのは、攻めこむギリシア人と守

左｜エジプトで発見された紀元前250年頃のパピルスの切れ端。ホメロスの『オデュッセイア』第20巻41–68行が書かれている。オデュッセウスが女神アテネに眠れないと悩みを打ち明けるシーン。

上｜ジョージ・チャップマンによる1616年の翻訳本の本扉。それを読んだ詩人のジョン・キーツはこう書いている。「そのときわたしは天文学者の気分であった。新しい惑星を発見したかのような……」

右｜多くの注釈がつけられた16世紀のヴェネト語の『オデュッセイア』第11巻234–263行目。オデュッセウスは、ポセイドンの恋人テュロとゼウスの恋人アンティオペの亡霊と出会ったことを語る。

るトロイア人の10年にも及ぶ戦いだ。戦いはギリシア人の勝利に終わった。オデュッセウスは仲間を説得して木馬を作り、自分たちは航海に出たふりをして、その木馬を置いていった。トロイア人はその木馬を自分たちの町のなかに運び入れた。その馬の内部にギリシアの戦士がごっそり隠れているとは夢にも思わなかったのだ。深夜になった。ギリシアの戦士がいっせいに馬から飛び出し、トロイアを占領した。ホメロスが綴る『オデュッセイア』──「オデッセイ」（原題の*Odyssey*）は今では、忘れがたい長旅を指す言葉になっている──は、その後主人公であるイタケの王オデュッセウスがギリシアの西にある故郷の宮殿にもどるまでの物語を描いている。10年の戦いのあと、旅はさらに10年続き、オデュッセウスと船員は何度もおそろしい体験をする。最も印象的なのは、「ポリュペモス」という名の巨大なひとつ目のキュクロプス族と船員たちとの対決だ。オデュッセウスたちは先端をとがらせて赤く熱した丸太で巨人の目をつぶして逃げる。ポリュペモスの父である海神ポセイドンはすぐさま、オデュッセ

ウスの帰還途中にさらなる試練を与える。やっとの思いでイタケにたどり着いたオデュッセウスの船には、乗組員はひとりも残っていなかった。オデュッセウスはさらに、自分が留守にしている宮殿に我が物顔で出入りし、妻ペネロペに結婚を迫っていた輩に立ち向かわなければならない。

ここからが、この貴重なパピルスの切れ端に描かれた物語だ。この短い一節では、苦境に立たされ、不安を覚えたオデュッセウスが、守護神アテネに眠れないと訴えている。一方、貞淑な妻ペネロペは、オデュッセウスが帰ってきたことをまだ知らない。彼女は暗い将来を悲観して、いっそのこと遠くにいくか、死んでしまいたいと嘆く。この大叙事詩はハッピーエンドを迎

えるが、そうなる前に、宮殿で血生臭い乱闘が繰り広げられる。オデュッセウスはペネロペと息子テレマコスに自分の正体を明かし、テレマコスとふたりの下僕とともに、剣や弓矢を使った血みどろの戦いで求婚者たちを打ち負かす。

この『オデュッセイア』の切れ端をみれば、紀元前250年頃にはすでに、ギリシアから遠く離れたエジプトの地でもこの叙事詩が文字に書かれていたことがわかる。今でも学者や考古学者の間では、この話のどこまでが事実なのかをめぐり、意見が分かれる。トロイアの包囲攻撃は本当にあったのか。また、ミュケナイなどギリシアのほかの町にいた戦士たちは、本当にエーゲ海を航海し、長期にわたる包囲戦の末に都市を占領したのだろうか。ギリシアでは、紀元前1600年頃から紀元前1100年頃までミュケナイ文明が栄えていたのは間違いない。また、トルコ北西部のダーダネルス海峡沿いに都市があったという証拠もある。わたしたちは最近その遺跡を訪れこの目でたしかめたが、トロイアの遺跡はトルコのヒサルルックにある。『イリアス』で描かれているように、海から7キロメートルほどの平原を隔てたわずかに高台になった場所だ。しかも、この遺跡では9つの都市が重なって埋もれていたことが発掘により明らかになっている。この7層目（「第7a市」と呼ばれる）は紀元前1200年頃のもの。火事による焼失の跡がみられる［天災ではなく人災によって都市が失われた可能性を示唆する］。

今でも学者の間では激しい議論の種ではあるものの、このヒサルルックの丘に埋も

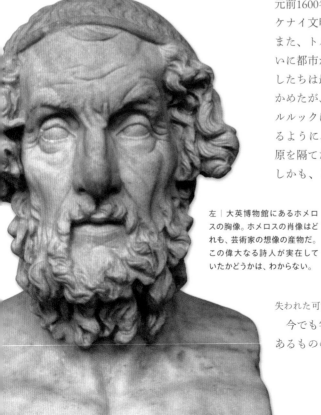

左｜大英博物館にあるホメロスの胸像。ホメロスの肖像はどれも、芸術家の想像の産物だ。この偉大なる詩人が実在していたかどうかは、わからない。

れた7層目が古代都市トロイアの一部であるという心躍る可能性が、この発見によって開けたのは間違いない。今、廃墟となった城壁の上に立ち、眼下に広がる平原で繰り広げられた数々の大いなる戦いやトロイアの陥落、それに続くオデュッセウスの長い旅路を思い浮かべると、わくわくする。それがやがて、古代の詩人（あるいはたくさんの詩人たち）の想像力をかきたて、西洋文学の偉大なる礎を築くふたつの傑作を生み

上｜15世紀のイタリアの絵画。勝利したギリシアの戦士アキレウスが戦闘用馬車に乗る姿を描いたもの。彼はトロイアの城壁のまわりで、トロイアの英雄ヘクトルの死体を引きずっている。

出したのだから。この古代のテキストの切れ端に、感謝しなければならない。そういったもののおかげで、この物語はこの先も決して絶えることはないのだから。

右｜艱難辛苦を乗り越え、航海から帰郷したオデュッセウス。貞淑な妻ペネロペのもてなしに乗じて群がり、結婚を迫った者たちを、弓矢で射ち殺す。

6
オストラコン

ここにある古代アテネの小さな陶片は「オストラコン」と呼ばれるもので、現代の投票用紙にあたる。陶片の表面に「メガクルス」という名が刻まれている。この人物は、陶片追放(オストラキスモス)、つまりアテネから追い出す者としてこの投票者が選んだ人物だ。オストラコンは、世界最古の民主主義が機能していたことを示す、興味深い証拠である。

これは、直接民主制——人民の力——が絶対的な力を持っていたことを示す、最古の例だ。紀元前5世紀の古代アテネの市民はだれでも年に1度、町の中心部で広場や市場の役割を果たすアゴラに足を運び、「オストラコン」と呼ばれる陶器の破片を投票壺に入れることができた。オストラコンは

投票用紙の古代版で、アテネの有権者は、紙に印をつける代わりに、陶器に人の名前を刻みこんだ。有権者が刻んだ名前は、自分たちを代表してもらいたい人物などではなく、権限を奪って街から追い出したい人物だった。アテネの約3万人の市民のうち6千票が集まれば、不幸にもオストラコンに

左｜追放する者をアテネの有権者が選ぶために使ったオストラコン。4人の名前が書かれている。その3つにメガクレスの名前が刻まれている。

KΛEIΣΘEMHΣ

名前が書かれたその人物は、荷物をまとめて出ていかなければならなかった。この反対投票、つまりオストラキスモスは、市民の直接的な権利行使だった。

　アテネをはじめとする古代ギリシアの都市国家では、オストラキスモスは男たちがなにかを決める手段のひとつにすぎなかった。アゴラやアクロポリスがみわたせる大きな平らな岩の上で民会が開かれ、有権者が集まったとき、彼らは現代の国会議員の

ように国民の代表として投票したわけではない。彼らは一介の市民だ。重大な決断や人事も、直接投票で決めなければならなかった。その結果、いいたいことがある、あるいはだれかに文句をいおうと押し寄せた何千人もの人々で大混乱に陥ったことは、想像がつくだろう。やじや口笛が飛び交い、賛同の声がとどろき、やがて実際の投票という段になり、挙手によって採決が行われた。それはまるで、現代の政府が、

とりわけ重要な問題だけでなく、「すべての」問題についてその場で全国民による国民投票に委ねなければならないようなものである。

　アテネの民主主義は、紀元前590年代から約300年かかった改革の過程で生まれた。しかし、肝心な点が欠けていたため、完全な民主主義とはいえなかった。女性と奴隷には選挙権がなかったのだ。選挙権を持っていたのは自由民と認められた男性のアテネ人だけだった。しかしそれを厳しく非難する前に、思い出さねばならないこと

がある。現代の民主主義国家でさえ、女性に投票権が与えられるようになったのは19世紀末になってからだ。また、古代アテネ人ほどの議決権を享受する男性は、現代国家にはいない。

　リンカンの言葉を借りれば「人民の人民による人民のための政治」の実現を目指し、だれよりも尽力した民主主義の英雄がいる。アテネの政治家ソロンとクレイステネスだ。このふたりが、直接民主制を確立した。紀元前6世紀、すべての男性自由民に、国の政策決定や日々の政治活動を行う

左｜アクロポリスのすぐ下に広がる古代アテネのアゴラ（広場や市場の役割を果たす公共スペース）を描いたイメージ画。アテネの民主政が栄えたのは、紀元前6世紀以降、アテネが自由を謳歌していた頃。

を築いた。しかしその黄金時代も、この約2世紀後にマケドニアがギリシア全土を支配下に置いたことで終焉を迎える。

　クレイステネスはオストラコンを考えたとされる人物でもある。オストラコンは小さな陶片だが、アテネ人のなかでもどれだけ地位が高く、どれだけ権力を握っている者でも追放できてしまう。直接民主主義の強力なツールだったが、ときには有権者が無慈悲な使い方をすることもあった。好ましからざる人物を裏切ることもできたのだ。オストラキスモスの犠牲者のひとりは、革新的なアテネの指導者テミストクレスだ。彼は紀元前480年にペルシアによる大規模なギリシア侵攻の阻止を計画した人物だ。一時は人気のあるヒーローだったが、汚職の嫌疑をかけられ、アテネから追い出された。ここでクレイステネスが世に広めた民主主義の自由さを示す、皮肉なエピソードを紹介しよう。その実の甥が冒頭のメガクルスだ。この甥は叔父がアテネの名士となったわずか10年後に、追放されたのである。

　現代の民主主義は、多くのアテネ人が政治に決定的な影響を与える権利を持っていたことを、かなり踏襲している。それでもたったひとつ、絶対に真似できないことがある。たしかに、現代の国家は投票権を全国民にまで広げたかもしれない。だが、古代ギリシア時代に享受されていた規模で人民の力を行使するには、人口があまりにも増えすぎてしまった。

役人を選ぶ、直接的な発言権を与えたのである。ソロンはこの改革の手はじめに、旧来の貴族層を一掃した。そしてクレイステネスが紀元前508年から紀元前507年にかけて、民主政治制度を完成させた。アテネの男性市民はだれでも、500人評議会に選出される機会が平等に与えられることになった。この評議会が、全市民が参加する議会の主権のもとで、国家の日々の政治を監督する。これがやがて、統治機関という形をとり、アテネの民主主義、そして浮き沈みを繰り返しながらも続いた繁栄の黄金時代

ロゼッタ・ストーン

ロゼッタ・ストーンは古代エジプトのヒエログリフ（神聖文字）解読の重要な手がかりとなった。紀元前196年にこの石に刻まれたのは、宗教会議に基づいて発布された法令。3種類の文字で記されていた。うち、ふたつはギリシア文字とデモティック（民用文字）で書かれていたため、簡単に翻訳できた。それらを手がかりに、学者たちは3番目の文字——ヒエログリフで綴られた文章を解読した。

1799年にナポレオン率いるフランス陸軍がエジプトに遠征したとき、工兵隊大尉ピエール・フランソワ・ブシャールは28歳

上｜イギリス人科学者トマス・ヤング。幅広い知識とあくなき好奇心を胸に、古代エジプトのヒエログリフの解読に挑んだ。1813年のことだった。

だった。のちにフランスの初代皇帝となるナポレオンの命により、ブシャールはナイル川河口の歴史ある都市ロゼッタ（現在のラシード）にあった古い要塞の守りを固めようとしていた。その年の7月中旬、ブシャールは廃墟のなかから大きな黒っぽい石（の板）をみつけた。その長さは1メートルを超え、幅は約0.75メートルあった。エジプト東部で採れる硬い花崗閃緑岩で、その片面には3種類の文字が刻まれていた。ブシャールはこの発見に心奪われた。どうみても、この石碑にはなにか意味がある。すぐに仲間に知らせた。その報告はやがて、エジプト遠征軍を率いるナポレオンの耳にも届いた。

　ブシャールが何気なくみつけたもの。それは、考古学の歴史を覆す貴重な大発見だった。この石はおそらくそれよりも300年前に、エジプトのマムルーク（奴隷出身の軍人）である建築作業員が、要塞を作るときに使ったものらしい。その作業員にはその石がなんであるのかも、そこになにが書かれているのかも、おそらくさっぱりわか

らなかっただろう。その石を、ナイル川河口近くの町サイスの遺跡にあった崩れた神殿から拾ってきていたのは、ほぼ間違いない。

　不覚にもブシャールはのちに、イギリス軍に捕らえられる。イギリスは敗退したナポレオンおよびフランス軍をエジプトから追い出すが、このころには専門家——最初はフランス、次にイギリスの学者がこの新発見に魅せられ、この石を「ロゼッタ・ストーン」と呼ぶようになった。この石には法令のようなものが3種類の言葉で刻まれていることは、すぐにわかった。1番上に古代エジプトのヒエログリフ、2番目には古代エジプトのデモティック、1番下には古代ギリシア文字が書かれていた。もし、この3つの言葉で綴られた内容が同じなら、今まで解読できなかった古代エジプトのヒエログリフの手書き文字をひもとく鍵になるかもしれないと、学者たちは気づいていた。

　ブシャールがみつけた碑文は紀元前196年のものだった。その年は、古代エジプトにとっては不安定な年である。それというのも、紀元前204年にわずか5歳でファラオに正式に即位したプトレマイオス5世はこのとき、13歳。幼くして王位を継いだのは両親が暗殺されたからで、国内情勢は乱れていた。古代エジプトの一部で反乱が起きていたこの頃、この石に刻まれた勅令には王家が自身と国家の繁栄のために、神官にどれだけたよっていたかが示されていた。ロゼッタ・ストーンに刻まれた神官たちの約束によると、プトレマイオス5世がエジプトの神殿に穀物や銀を寄贈した見返りに、王の誕生日や即位日を毎年必ず祝うこ

上｜ロゼッタ・ストーンをついに解読したのは、フランス人の学者ジャン・フランソワ・シャンポリオン。ヤングと共同で研究を進めていた時期もあった。しかしほどなくしてヤングの存在をかすませるほどの成果をあげる。1824年に、その発見の概説書となる文献を発表したのである。

とになっていた。

　石に注目が集まった。こうした王家の歴史のささいなエピソードより、はるかに大きな価値がある。そのうちこの石が、世界でも有数に栄えた文明の文字記録を読み解く可能性を開く。エジプトのギザ、サッカラ、ルクソールに点在する名もなき遺跡や墳墓、それ以外にも素晴らしい古代エジプト文明の遺跡の素性がやがて、次々と明らかになっていった。驚くべき発見が事実として裏づけられるまでおよそ20年もの間、イギリスとフランスが文字解読の研究をめぐり火花を散らす。とはいえ、このライバル関係はエジプトから始まっていて、そもそもは戦争に勝ったイギリス軍が石の所有

権をめぐり、フランスと激しいこぜりあい
をした経緯がある。一説によると、敗退し
たフランスの軍司令官はフランスに帰国す
るとき、荷物に入れた絨毯数枚のなかにこ
の石をしのばせていたらしい。

　石は捕獲されたフランスの軍艦エジプ
ティエンヌ号に積まれてイギリスに護送さ
れ、大英博物館に納められた。その碑文の
レプリカがイギリス国内外で広まると、イ
ギリスとフランスの間で研究家の解読レー
スが繰り広げられる。そのなかで頭角を表
した、ふたりの人物がいる。ロンドンにい

左｜ロゼッタ・ストーン。1番
上にヒエログリフ、2番目に
デモティック、1番下にギリ
シア文字が刻まれている。ヒ
エログリフのカルトゥーシュ
（王の名を囲む枠）にエジプ
トのファラオ、プトレマイオ
ス5世の名前が記された、枠
で囲まれた部分に注目。

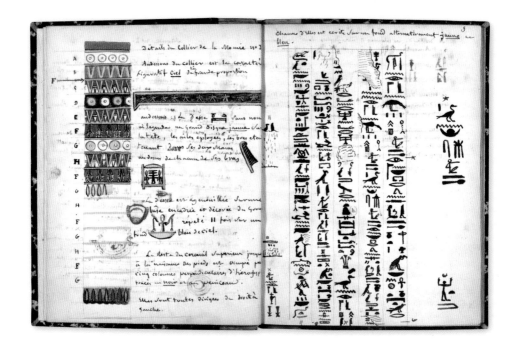

上｜シャンポリオンのノート。古代エジプトヒエログリフ解読の綿密な作業がわかる。ひとつひとつの記号の意味を解き明かしたこの研究から、古代エジプト時代の忘れ去られていた言語の研究が発展した。

たトマス・ヤングと、フランスのグルノーブルにいたジャン・フランソワ・シャンポリオンだ。ヤングはとりわけ、「カルトゥーシュ」[38ページの黄色枠部分]の研究にうちこんだ。「カルトゥーシュ」とは、ヒエログリフの特定の部分をはっきり囲む枠のことで、その枠のなかの文字はエジプトの王たちの名を示していると考えられていた。ヤングはたいへんな苦労の末、ロゼッタ・ストーンのカルトゥーシュの枠のなかに、「プトレマイオス」をあらわす記号が並んでいることに気づいた。ヤングとシャンポリオンはいずれ劣らず、ヒエログリフの最終的な解読に大きく貢献したが、研究が一気に進んだのは1822年にシャンポリオンが発表した文献のおかげだ。ヒエログリフの辞書ともいえるこの文献があったから、エジプト学者は古代エジプトの墳墓や神殿に書かれた文字を読めるようになった。こうした文字から、王家や王、高官たちのドラマが明かされた。

　このふたりの男のライバル関係は飛び火し、ふたつの国の対抗意識にまで発展した。1970年代はじめには大英博物館の来館者が、館内に展示された肖像画の大きさが違うとクレームをつけるようになったのだ。フランスから大英博物館に訪れた観光客はヤングの肖像画がシャンポリオンよりも大きいといい、イギリス国内の来館者はシャンポリオンの肖像画のほうが大きいといった。きちんと比べれば、ふたつの絵はまったく同じ大きさだったのだが。

8

死海文書

死海文書をみつけたのは、パレスチナに住むベドウィンの羊飼いたちだった。死海の西側のほとりにあるクムランの洞窟群から、1946年から1947年にかけて続々とみつかったのだ。これは、考古学的には思いもよらない発見だった。そこには、旧約聖書（ヘブライ語聖書）のかなりの部分が記録されていた。これは、2千年ほど前に「エッセネ派」と呼ばれるユダヤ教の厳格な宗派の人々が、当時よりもさらに古い時代のテキストからかなりの分量を書き写していたものだった。

第二次世界大戦終結からまだ間もない頃に偶然発見されたのは、保存状態がかなり良い、聖書の写本の貴重なお宝の山だった。死海文書の巻物に使われていたのは、パピルスという植物の茎から作られたパピルス紙だ。そこに、旧約聖書、つまりヘブライ語聖書の言葉が書かれている。現存するほかの緻密な聖書写本のさらに、千年も前にだ。羊飼いたちが死海の北西端で発見したこの文書は、キリスト教が誕生した頃にユダヤ人が古い時代の聖書の記述をどのようにとらえていたのかという興味深い点をつまびらかにしている。

最初の巻物をみつけた羊飼いたちは、それを地元の市場で売り歩いたが、ちっとも買い手がつかず、しまいにはわずかな金額で売り払った。それがなにかを学者たちが知ったのは2、3年後のこと。洞窟が再調査されたのは、1949年だった。

（当時よりも以前に書かれた資料を写したと思われる）死海文書を書いたのは、ユダヤ教のなかでも非常に厳格な宗派に属する人々だ。彼らはエルサレムの東40キロメートルに位置するクムランという村で、俗世から離れて暮らしていた。学者は、彼らはエッセネ派だという。彼らはここで、紀元前300年頃からローマ人がユダヤ人の反乱を鎮圧する西暦73年まで、極端に節制した生

上｜死海文書が入っていた背の高い細長い壺。蓋があったおかげで、巻物は湿気から守られた。

右｜専門家が慎重に
解読した巻物の一
部。主にヘブライ語で
書かれた聖書が書き
写されている。全部
合わせると、千本近く
になる。

活を送っていた。古代ローマの文人プリニ
ウスは、エッセネ派の人々を「快楽を退
け、財産を共有し、椰子の木だけを人生の
友とする、世界でも類をみないほど独特で
立派な人たち」だと述べていた。禁欲的な

隠遁生活を送る彼らは、集落のなかにスク
リプトリアム（写字室）を設け、日々パピル
スに文字を綴り、それを壺に詰めては、集
落を取り囲む岩だらけの丘陵地帯にある十
数カ所の洞窟に隠した。巻物は現在、発見

された洞窟別に分類されている。エッセネ派の人々は、白い衣服を着て、質素な食事をし、とくに安息日には排泄行為も禁止されるなど、厳しい生活を送った。平日は用を足すために離れた場所を探し、排泄物を埋めなければならなかった。公衆の面前で卑猥な行為をした場合は(故意か過失かを問わなかったかどうかは不明)、最低でも30日の刑罰が科せられた。

素晴らしい仕事をした写字生が残したものは、主にヘブライ語とアラム語で書かれた約950点の写本だ。創世記から出エジプト記、レビ記、民数記、申命記、預言書ま

上｜死海文書が発見されたのは、死海の北西に位置する古代の集落、クムラン遺跡の近くにある乾燥した土地の洞窟だ。1946年に羊飼いたちが偶然に最初の壺をみつけた。

で、ヘブライ語聖書(旧約聖書)からさまざまな長さの文章を書き写している。たとえば、イザヤ書の巻物には66章すべてが含まれている。

この膨大な聖書の写本の宝庫のなかで興味深いのは、この千年後に編纂された中世のマソラ本文との違いだ。マソラ本文は死海文書が発見されるまで聖書の古い出典とされていた。興味深い例をひとつ挙げよう。ダビデが一騎打ちで倒した巨人ゴリア

テは、マソラ本文を元にした欽定訳聖書では、身長が6キュビト半と記述されている（第1サムエル記17章4節）。6キュビト半だと身長は3メートルになる。しかし、第4洞窟で発見された死海文書のサムエルの巻物では、4キュビト半、つまり約2メートルだ。

　数字のほかにも、欽定訳聖書とは異なる点がある。死海文書の巻物のほうが、記述が詳しいのだ。たとえば、創世記第12章ではアブラハムは妻のサライと一緒にエジプトに移り住む。しかし、自分の留守中にファラオが妻に惚れて自分は邪魔者になって殺されてしまうのではないかと心配する。聖書ではサライが「とてもきれい」だったとしか書かれていない。これに対し、巻物のほうでは描写が細かい。「彼女の髪の毛はなんとさらさらで、目はなんと愛らしく、なんと鼻筋の通っていることか。常に輝きを放つ表情……初夜の褥（しとね）につれてこられた処女や花嫁ですら、彼女にはかなわない……」。このよけいな記述は、厳格な宗派であるはずのエッセネ派にしては不思議なくらい思わせぶりだ！！

　エッセネ派の人々はキリストが生まれ、最後は十字架の上で死を迎えたのちも30–40年間その地に住んでいた。そのため、新興のキリスト教についてそれとなくほのめかしたくだりがあるのではないかと期待して、学者は巻物を調べた。『虐殺された救世主』についての言及がそうではないかと、考える人もいる。しかし、この言及やそれ以外のつながりを示すヒントは、広くは受け入れられなかった。

　現在、死海文書の巻物のほとんどは、西エルサレムのイスラエル博物館にある「聖書館」に収められている。その博物館には毎年、何万人もの人が訪れる。1本の巻物が展示される期間は3–6か月と短く、その間わずかな光しか浴びていなくても『修復』のために、専門家の元に送りだされる。発見された経緯や内容の謎を含めて、巻物をめぐる話には時代を超越した神秘性がある。発見の経緯にしても、そこに書かれていることをめぐる謎にしても、ミステリアスだ。死海文書は小説家にも、うってつけの題材だ。ダン・ブラウンはベストセラーになった小説『ダ・ヴィンチ・コード』で、死海文書についてたびたびふれている。

右｜巻物の多くは、羊皮紙やパピルスの小さな切れ端になっている。専門家が特殊な器具を使い、丁寧につなぎあわせる。

神君アウグストゥスの業績録

「神君アウグストゥスの業績録」として知られる碑文が、トルコのアンカラにある古代ローマ神殿の壁一面にでかでかと書かれている。本章で取り上げるこの文書は、レプリカだ。本物は、古代ローマの壁に彫られていた。そこには、紀元前27年から西暦14年までローマを統治していた初代皇帝の功績がすべて、記されていた。

イエス・キリストがユダヤ（古代パレスチナ南部の地名）に生きていたのとほぼ同じ時期のこと。古代ローマ帝国を支配した皇帝アウグストゥスが、この大迫力の碑文に一人称でみずからの功績を誇示しているのは、驚くことではない。彼はみずからの広大な帝国に住む者にあまねく、自分の功績を忘れさせまいと心に決めていた。そして実際、誇るべき遺産を遺した。この男こそが、崩壊しつつあった共和政ローマを悩ませた頻々と起きる内乱を引き継ぎ、その後1,500年にわたる安定を導く、新しい権力体制を立ち上げた。共和政から帝政になったローマをやがて、さまざまな運命に翻弄される歴代皇帝が支配した。その帝政は、1453年のビザンツ帝国の首都コンスタンティノープル陥落まで続いたのである。

アウグストゥスは、この帝政ローマの初代皇帝。しかも、最も有能で、成功した皇帝に数えられる。敵対する人物を情け容赦なく倒し、共和政ローマの内乱を終結させた。その最後の相手になった哀れな男は、アントニウスだ。彼はエジプトのクレオパ

右｜かつてローマにあった、皇帝アウグストゥスの功績を記した偉大なる『業績録』の碑文の現代版レプリカの前を男が歩く。碑文は4つのセクションに分かれ、アウグストゥスの政治的功績、才能、軍人としての実績、そして人々に広く支持されたという彼の主張を称賛している。

トラに熱を上げ、ローマ帝国を支配するチャンスをつかみそびれた。紀元前27年になると、アウグストゥスに逆らう者はいなくなった。彼は業績録のなかで自信たっぷりにこう断じる。「わたしはすべての紛争を解決した」。アウグストゥスが紛争を解決したおかげで、おおむね平和な治世が40年続き、その平和は西暦14年にアウグストゥスが死ぬまで守られた。このアウグストゥスの統治時代に、文学をはじめとする芸術の創造性が一気に開花した。この世界を彩り豊かにしたのは、そうそうたる面々

だ。芸術作品の規範を作ったウェルギリウス、ホラティウス、オウィディウス。それに、アウグストゥスの伝記の著者スエトニウスの記述によればアウグストゥスをして「ローマを煉瓦の都市として引継ぎ、大理石の都市として遺した」といわしめた後援者や建築家たち。ウェルギリウスは自著『アエネーイス』でこう称える。「アウグストゥス皇帝は主神ユピテルの末裔である。黄金時代をもたらし、われらがラティウムの地にかつてのサトゥルヌス神のような統治権をとりもどすだろう」

上｜この大理石製のアウグストゥス像は、1863年に妻リウィアの別荘跡から発見されたもので、高さ2メートル。紀元前27年から西暦14年までの40年間、ローマを統治した初代皇帝。

では、アウグストゥスはどのようにしてこの「黄金時代」を築き、これほどまでに長続きする帝国統治の時代をスタートできたのか？　その答えは、「それまでの共和政の制度を、永続的な独裁体制が定着できる仕組みへと、時間をかけて変えた」である。改革はゆっくりと段階的に行われ、その間彼は常に用心深く、ローマの元老院のような由緒ある組織への敬意をアピールした。大叔父のユリウス・カエサルがあまりにも性急に権力を掌握したのとは異なり、アウグストゥスは賢明にも慎重だった。

権力を掌握し、若くして名実ともにリーダーの地位についた最初の数年間は、アウグストゥスは重要な事柄を決めるときは、元老院議員をはじめ官職にある者の決定権を尊重するふりをした。しかし、徐々に権力を固めた。王のようにみえるふるまいはいっさい避けながらも、紀元前27年に元老院首席である「プリンケプス・セナトゥス」、ならびにローマ軍の軍司令官である「インペラトル」になった。彼はすぐに1年任期の護民官の権限を得て、それを毎年更新しながらその地位に居続けた。これにより、元老院を召集し、選挙をとりしきれるようになった。

左｜完全な状態では現存していない『業績録』の実物の碑文のひとつ。トルコのアンキュラ（現在のアンカラ）にあるアウグストゥス神殿に刻まれていた。

9｜神君アウグストゥスの業績録

紀元前20年頃から
西暦10年頃のローマ帝国の地図

ゲルマニア
ベルギカ
ルグドゥネンシス
ガリア
ノリクム
アクィタニア　ラエティア
ナルボネンシス
パンノニア
ヒスパニア
ボスポロス
王国
タッラコネンシス
コルシカ
イタリア
イリュリクム
モエシア
ビュティニア・エト・
ポントゥス
ルシタニア
トラキア
バエティカ
サルディニア
マケドニア
ガラティア　カッパドキア
アシア
シキリア
シリア
ユダエア
マウレタニア
アフリカ
キュレネ
エジプト

■ ローマ帝国

　アウグストゥスが亡くなってから1世紀
後に伝記を書いたスエトニウスは、彼のこ
とをこう述べている。「女たらし」で、とて
も残酷にふるまうこともあるが、心が広
く、身に余るお世辞をいわれると謙遜した
り、ときには不賛成を示したりすることも
あった。身長は平均より低く、「目は澄ん
で明るかった。眉はわし鼻の付け根でつな
がっている……髪は金髪がかった、ややく
せ毛だった」。美辞麗句を並べ立てた演説
を嫌い、はっきりと率直に話し、「晩餐時
にはワインと水を3杯までしか飲まなかっ
た」

　アウグストゥスは、ローマ帝国やイタリ
ア本土の政治権力の組織化に大いに貢献し
た。その結果、彼がこの世を去るまでに
ローマ帝国は地中海からバルカン半島まで

の広い地域をすべて、制圧した。『業績録』
の碑文でも謳ったように、彼はローマ帝国
にいくつかの属州を加えた。なかには国境
の北の境がドナウ川に達する州もあった。

　アウグストゥスの後継者が支配する時代
になると、代々ローマ帝国の権力の座にい
たカエサル一族は、放蕩や無能のぬかるみ
にはまり、没落した。ようやく輝きを取り
戻したのは、約1世紀後の西暦2世紀のこ
と。トラヤヌス、ハドリアヌス、アントニ
ヌス皇帝の治世である。しかし、ローマ帝
国初代皇帝の功績は決して色あせない。18
世紀初頭、創造的で知的な才能が花開く時
代がイギリスに到来した。そのときに小説
家や哲学者、風刺作家が数多く生まれたこ
とがつとに知られ、この時代は「第2のアウ
グストゥス時代」と呼ばれた。

Darstellung des
E nach der
CO des NI
PLANO

Steinbock

Die Bahn des Saturn

Wassermann

Der Mond
ihm lieg

Fische

♄ SATURN

Die Bahn des Mars

...emenTen um Sonne, Venus und Merkur bewegt

VEN

Bahn der Ven

...KUR

Die Bahn

Widder

...RS

Sti

ganzen Universums
VorsteHung
Kopernikus.
EXHIBITVM

Waage

JUPITER

der unter
n Welt.

Bahn der Erde die sich mit dem

Die Bahn des

s Merkur

Jungfrau

Löwe

Die Bahn des
Jupiter

Krebs

第**2**部
中世・近世
600年−1648年頃

コーラン

イスラーム教の聖典コーランは、世界中の人々が読み、朗唱する写本。そのなかに記された根本原理、戒律や行動規範が広まり、イスラーム教は世界人口のおよそ4分の1を占めるイスラーム教徒(ムスリム)を持つ宗教となった。ムスリムはコーランを、西暦610年から632年の間に神が大天使ジブリール(ガブリエル)を通して預言者ムハンマドにくだした啓示だと考えている。またムハンマドを、アダム、ノア、アブラハム、モーゼやイエス・キリストをはじめとする預言者の長い系譜の最後に現れた、最も偉大な預言者とみなしている。

ムスリムの間では、このように伝えられている。西暦610年のある晩、40歳のムハンマドの前に大天使ジブリールが現れた。そのとき彼は、大商人の町メッカ近郊のヒラー山の洞窟で修行をしていた。大天使はムハンマドにアッラーの神によって預言者に選ばれたことを告げ、3行の韻文を唱える。ムハンマドはやがて、瞑想から目を覚ます。神の遣いになったばかりのこの男は、この韻文は心に刻まれたといった。それから22年にわたり、ムハンマドがメッカにいる間も、また別のオアシスの町メディナに移ってからも神の啓示が次々に降りたが、読み書きができなかったムハンマドはすべて暗記した。そして神の言葉を朗唱し、信者に伝えた。信者のなかで文字の書ける者がいたので、ムハンマドの韻文を石板やヤシの葉、動物の骨に刻んだ。預言者ムハンマドが632年に亡くなると、その義理の父アブー・バクルがその初代後継者、カリフとなる。アブー・バクルは書記に命

じ、文字に記された韻文をできるだけ数多く集めて書き写させ、1冊の本にまとめようとした。当時イスラーム世界はアラビア半島からペルシャ、地中海東岸から北アフリカにまで広がっていたため、各地で朗唱されるコーランの内容に違いがあることを懸念する声が高まっていた。ある言い伝えでは650年頃に3代目カリフ、ウスマーン(ムハンマドの義理の息子)がアブー・バクルの写本を選び、ムハンマドの仲間が覚えていた韻文をそこに加えた。ウスマーンはこの改訂版コーランをイスラーム世界の主要都市に送り、それ以外のテキストはすべて廃棄を命じた。このウスマーン本の体系は、書き記されたコーランの決定版、つまりイスラームの教典となった。これが現在も受け継がれている。

　コーランはたった、7万7千語あまりの言葉で編まれている(キリスト教の聖書はその10倍長い)。預言者ムハンマドの啓示は、114の「スーラ」と呼ばれる章に登場する。どの

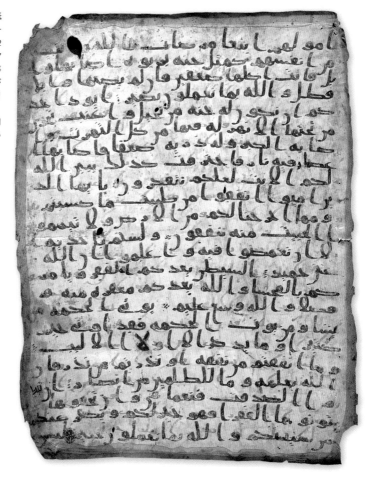

右｜この7世紀の羊皮紙は、世界でも最も古いコーランの写本のひとつ。1972年にイエメンの首都サナアにある大モスクの改修工事をしていて、現場作業員が発見した。この写本は、パリンプセストである。つまり、何度でも書いて消せ、再利用できる羊皮紙でできている。

章もいくつかの韻文から成り立ち、その内容も全知全能の神から貧しき者へのほどこしにいたるまで、多岐にわたる。スーラの約3分の1で死後の世界と、審判の日にふれる。そのほかには、祈り、歴史、聖書にも登場するエピソード、自然の観察、信者の道徳や法的義務などについて述べている。スーラのなかには論争の的となり、解釈が分かれるものがある。たとえば、第4章の34節では「男は女の生活を世話する家長である。それは神が男の立場ともう一方の立場に優劣をつけ……不服従の心配のある相手（女）なら教え諭し、寝床に追いやり、これらを打て」とある。このくだりは、イスラーム世界における女性の役割と扱いについて大きな議論を招いてきた。刑罰についてもまた、議論が分かれる。第5章の38節では、盗人についてこう述べる。「その男、または女の両手を切り落とせ。みせしめとして罰を与えよ」。ジハード主義者、つまり過激派イスラームの台頭によって、コーランが非ムスリム、すなわち異教徒の

上｜絢爛豪華な文様入りコーラン。ドイツ人考古学者マックス・フォン・オッペンハイムのコレクション。これをみると、イスラーム教の広がりがわかる。似た文様は、スペインのアルハンブラ宮殿やモロッコでもみられる。

殺害を許容するのかをめぐり、今も熱い議論が交わされる。異教徒の殺害は許されるという意見も一部ある。しかし大多数の専門家は、コーランでは武力侵略を禁じており、ゆえに信者は自衛のための武力行使だけを許されていると考えている。

　イスラーム教は何度か分裂している。な

かでも有名なのは、預言者ムハンマドの後継者をめぐる論争だ。「シーア派」と呼ばれる一派は、正統なカリフはムハンマドのい

052　　　　　　　　　　　　　　　　　　　　　10｜コーラン

新興のイスラーム勢力であるアラブ人による帝国の最盛期の地図

■ 預言者ムハンマドによる勢力拡大［622年–632年］
■ 正統カリフ4代による勢力拡大［632年–661年］
□ ウマイヤ朝世襲カリフによる勢力拡大［661年–750年］

とこ、直接血のつながりのあるアリであるべきだと主張する。シーア派よりも勢力の大きな「スンニ派」は、ムハンマドの義父、アブー・バクルが正統な後継者だと断言する。この論争はスンニ派に軍配が上がり、現在ではスンニ派が世界中のムスリムの90％近くを占める。このふたつの派は現代でも紛争を続けている。たとえばスンニ派が政権を握るサウジアラビアと、シーア派が優勢なイランとの関係がそうだ。その違いはさておき、どちらの派のイスラーム世界でも公式なウスマーン本をコーランとして認めている。

　預言者ムハンマドは、改革者だとみなされている。彼はアラビア半島にいくつもあった素朴な部族の信仰を自身のイスラームの教えに塗り替え、宗教や家族関係、ビジネスのやり方や政治にまで影響を及ぼした。その死後80年もたたないうちにムスリムによる征服が始まり、世界史でも屈指の巨大なイスラーム帝国が築かれた。征服さ

れた領地の原住民はすぐにはイスラーム教に改宗しなかった。しかし、ムスリムの学校が整いモスクが建てられると、アラビア語や生活習慣、イスラームの信仰がこうした人々に広まった。この宗教はさらに交易ルートを通ってアフリカ、やがてアジアにも伝わっていく。ムスリムの軍隊は北アフリカ全体を占領し、スペインを侵略し、1291年には中東にいたキリスト教十字軍勢力を追い払った。13世紀から20世紀までイスラーム教による支配を維持したオスマン帝国は1453年にコンスタンティノープルを制圧。その勢力をウィーン市内に入る門にまで伸ばし、包囲戦に持ちこんで敗れた。現在では、全世界に約20億人のムスリムがいる。2060年にはその人数は30億人に達するとみられている。そうなったらムスリムの数はキリスト教徒の数を追い越し、イスラーム教が世界最大の宗教になるだろう。

11

『ケルズの書』

『ケルズの書』は、キリスト教聖書の4つの福音書を記録した中世の装飾写本。800年頃の修道士が、より古い時代の聖書を入手して書き写し、装飾をほどこしたものだ。この章では、聖母子が色彩豊かに緻密に描かれる絵のページを、そのまま紹介する。

『ケルズの書』は、キリスト教の新約聖書に収められた4つの福音書を伝える。現存する書物のなかでも、そのきわだった美しさ

がつとに知られる。どこで作られたかははっきりとわかっていない。最も有力なのは、この書物は写字生と写本画家が素晴ら

上｜ダブリンの北西70キロメートルにあるケルズ修道院の修道院跡。9世紀初頭に、アイオナ島の修道士たちがこの地に避難してきた。

左｜スコットランドのアイオナ島にある修道院。563年に修道僧コルンバ（のちの聖コルンバ）によって設立された。コルンバの弟子たちはここを本拠地に布教活動を続けていたが、806年にヴァイキングの襲撃に遭い、去ることになった。20世紀に全面的に改修され、現在はキリスト教アイオナ・コミュニティーの本拠地になっている。

右｜『ケルズの書』でテキストページの始まりを飾る、天使に囲まれた聖母子像。聖母マリア崇拝は、アイルランドではとりわけ早い時期に始まっていた。

しいタッグを組んで作ったという説だ。800年頃にスコットランドのアイオナ島に暮らす修道士チームの手柄というわけだ。彼らが作業していたのは、アイルランドの修道僧コルンバ（のちの聖コルンバ）が6世紀に設立した修道院。この修道院は806年にヴァイキングの襲撃を受け、多くの修道士が殺された。そのとき生き残った修道士のなかに、この本を持ってアイルランドに渡り、ダブリンから70キロメートル離れたケ

ルズ修道院に避難した者がいた可能性が高い。ケルズの書はそこで保管された。そして、おそらくそれまでよりずっと安全な環境で作業を終わらせたのだろう。ヴァイキングはアイルランドの各地に出没していたが、修道士たちはこの壮大な装飾写本を苦労して守り、残せたのである。

　『ケルズの書』を筆写し、装飾をほどこした修道士は細部にまでこだわるプロだった。彼らは「ウルガタ」と呼ばれるラテン語

の座る椅子の背に一見恐ろしげな生き物がいて、2匹の蛇の頭を噛み切っている。この生き物はじつはこの母子を思いやり、守っている。絵のなかの人物の多くは、この修道院にいたほかの修道士をイラストで表現したものではないかと考えられている。これを実際にみてわたしたちはたしかに、と納得した。よくいわれるように、マリアに抱かれた幼な子の顔は明らかに、子どもらしくないのだ。

　学者の調査によってわかったのは、テキストを筆写した写字生は4人いること。しかも、それぞれの字体に微妙な違いがある。そのうちのひとりはとりわけ、装飾頭文字を華やかにしたがる傾向があった。とはいえ、4人ともヨーロッパ各地のさまざまな流派の緻密なデザインに影響を受けていたことがはっきりとわかる。アイルランドが誇る「インシュラー体」というユニークな書体が使われている。この書体は、聖コルンバと同時代にヨーロッパのはずれにいた、アイルランドの写字生たちが考案した書体だ。

　この本は、「ヴェラム」と呼ばれる特殊な方法でなめした子牛の皮に描かれている。これは羊皮紙の一種で、湿度の高いアイルランドでは大切に使われていた。ほかの素

聖書［現在でも、カトリック教会における標準ラテン語訳聖書とされている］からテキストを写し、驚くほど華麗で豪華な装飾をほどこした。神秘的な渦巻文様をさまざまなパターンで描き、人や植物や動物の絵をちりばめた。とりわけ動物は想像力とユーモアを思いきり駆使して隠し絵のようにしのばせ、ときには虫眼鏡が必要なほど小さく描いている。

　テキストの文頭にくる装飾頭文字（イニシャル）の多くにはいつも、さまざまなパターンで文字にからみつく小さな動物があしらわれている。最初の数ページ目に登場する聖母マリアと幼な子の絵では、マリア

材ではこの湿気に耐えられなかっただろう。驚くほど長持ちしている美しい色は、顔料を混ぜ合わせて作っている。青色の顔料は、インディゴという植物か、北欧に多くみられるキャベツの仲間、ホソバタイセイを使っている。黄色の顔料は石黄（硫化ヒ素）という鉱物から、赤色は赤鉛から作られた。

『ケルズの書』は、福音書ごとに4つに分かれており、現在はそれぞれが別の箱に収められている。オリジナルの本はとても大きかった。手のこんだ表紙がついていたが、それは30枚（葉）の本文とともに行方がわからない。4部構成となる本書の導入部分の絵では、4名の福音書記者を生き物になぞらえて描いている。マタイは人間、マルコは百獣の王であるライオン、ルカは家畜の王であるウシ、ヨハネは鳥の王であるワシだ。

『ケルズの書』が中世の修道院生活でなにに使われていたのか、正確なことはだれにもわからない。写本としては大きいので、おそらく日々の礼拝のためにわざわざ持ち出すのではなく、特別な儀式のときにだけ使っていたのだろう。不思議なのは、ヴァイキングの手をまぬがれたが、1007年に泥棒に盗まれても、

もどってきたことだ。犯人は表紙をはがしたあとに本を草地に埋めたが、その表紙は数か月後にみつかったといわれている。16世紀の半ばにケルズ修道院が廃院となったとき、『ケルズの書』は安全のためにダブリン大学のトリニティ・カレッジに移された。現在もそこで保管されている。

トリニティ・カレッジの図書館には、年間50万人が『ケルズの書』をみるために訪れる。4巻のうち2巻が常設展示され、ページがめくられるのは月に1回ほどだ。2巻のうち1冊はテキストのページが、もう1冊は絵のページ全体が展示されている。

右｜『ケルズの書』の「四福音書記者」のページ。3名は動物として描かれている。マルコはライオン、ルカはウシ、ヨハネはワシ。マタイだけが人間だ。

マグナ＝カルタ

マグナ＝カルタ（大憲章）は、なんびとも——国王ですら、法の上には立てないことを世界ではじめてはっきり定めた、イギリスの重要な法律文書だ。イギリス憲法のバイブルとも呼ばれるマグナ＝カルタは基盤となる文書とされ、権力の濫用に立ち向かい個人の権利を確立する最初の足跡を記した。800年の長きにわたり、世界中の法制度、議会制民主主義、そして現代に生きるわたしたちの自由という概念を形作ってきた。

「マグナ＝カルタ」には、中世のラテン語が羊皮紙に羽根ペンで綴られている。これはやがて、正義や自由と同義語になった。800年以上も前に書かれたものだが、いまだにその影響はいたるところでみられる。

その歴史は、1215年にさかのぼる。マグナ＝カルタはそもそも、不名誉かつ、不人気だった君主の権力を制限するために作られた契約書である。その君主とは、1199年から1216年まで、イングランドを統治していたジョン王だ。当時の人によると、「非道な若造」だったらしい。治世の大半をフランスとの戦いに費やしたが、ことごとく負け、その代償を諸侯（大地主）に負わせていた。1214年に屈辱的に、しかも多くの犠牲を払って戦争に負けると、一部の諸侯が反乱を起こしてロンドンを制圧した。王は彼らの要求の大半を受け入れざるを得なくなり、1215年6月15日にテムズ川のほとりにある、地形的にも安全な昔からの会合地ラニミードで諸侯らと会う。そのときに、「自由の大憲章」が成立した。これがのちに「マグナ＝カルタ」という名で世に親しまれる。

63の条項のほとんどは、土地の所有権、税金、教会の自由などに関する具体的な不満に対処するものだったが、そのなかには、君主も国法に従わなければならないことをはじめて明らかにした、革新的な新しいルールもあった。最も重要な第39

上｜王室文書の認証に使われたジョン王の印章。このおもて面では王が剣と王笏（おうしゃく）を持つ。裏面では馬に乗っている。1215年の最初のマグナ＝カルタの原本の写しすべてに、この印章が押されている。

右｜これが、1225年版のマグナ＝カルタ。ヘンリ3世が公布した3番目のもので、このときはじめて、ヘンリ3世の印章が押された。それまでの2回は、彼がまだ少年だった頃に公布されていたからだ。第29条（1215年版では第39だった）は、上から2つめの穴の5行上に手書き文字で書かれている。
「いかなる自由人も、同輩の合法的な裁判または国法による以外は、逮捕され投獄され……ることはない」と保証している。

条にはこう書かれている。
「いかなる自由人も、同輩の合法的な裁判または国法による以外は、逮捕され投獄され、または権利や所有物を奪われ、法の保護外に置かれ、または追放され、またいかなる方法であれ侵害されることなく、また、朕はその者に敵対することなく、その者に軍勢を派遣することはない」

ジョン王はしぶしぶこの大憲章を承諾したがその後、これをイングランドとは封建的主従関係にあったローマ教皇インノケンティウス3世に送り、無効を訴えた。すると教皇はこれが「違法、不正、王権を害するものであり、イングランド国民にとって恥ずべきもの」とし、「永久に無効」と判断した。マグナ＝カルタの効力はわずか10週間だった。すると、大混乱が起きた。国王と諸侯との間で内戦になったのだ。諸侯から支援を求められたフランスのルイ王太子はイングランドに侵攻

する。ジョン王はその戦いのさなかに、赤痢で亡くなった。1216年に王位を継いだのは、ジョン王の9歳になる息子ヘンリ3世だ。幼き王の摂政たちは、フランスとの戦

いで諸侯の支持を得ようと、マグナ＝カルタの修正版を公布した。この修正版では、議論の種になりそうないくつかの条項は削除されたが、起草時の精神には忠実だった。さらに、1217年には新たな修正版が公布された。フランスがイングランドから追い出された後のことだ。

1225年、ヘンリ3世は「国から受け取る税

の見返り」として［王と国との間の自由取引の一部として］、新しいマグナ＝カルタをまたもや制定した。しかし、ようやく法制化されたのは、1297年。法令集に掲載されたときだ。当初の憲章が適用されたのは自由人のみで、当時のイングランドの人口に占める自由人の割合は低かった。しかし、非常に適応性の高いマグナ＝カルタは数世紀をへて、すべての人のための自由と正義の象徴となったのである。

1776年、アメリカの入植者はとりわけイギリス議会からの課税に抵抗し、マグナ＝カルタをスローガンとした。アメリカ建国の父、ベンジャミン・フランクリンは、同胞たるもの「マグナ＝カルタで表明されているように……その全員の同意がなければ課税されない」と宣言した。アメリカ合衆国における独立宣言、憲法、権利章典にはどれも、その理念が反映されている。憲法の修正第5条は、「なんびとも、法の正当な手続きをへることなく、生命、自由、または財産を奪われることはない」と保証した。これは、マグナ＝カルタの有名な第39条をそのまま反映したものだ。17の州の憲法には、マグナ＝カルタの条項が盛りこまれている。カナダ、オーストラリア、インドなど、大英帝国の一部だった国々の法律や憲法にも、マグナ＝カルタの影響がみられる。

南アフリカのアパルトヘイト政策に反対

左上｜マサチューセッツ州議会議事堂のステンドグラスをみると、マグナ＝カルタがアメリカ独立戦争宣言に及ぼした影響がうかがえる。アメリカの反乱軍の兵士が、片手に剣を持ち、もう片方の手にマグナ＝カルタを持っている。
左下｜マグナ＝カルタに署名するジョン王。ジョン王は、反乱を起こした諸侯に囲まれ、要求を呑まざるを得なくなった。

12｜マグナ＝カルタ

して投獄されたネルソン・マンデラ（198ページ）は、1994年の法廷での有名な陳述で、マグナ＝カルタは「世界中の民主主義者に崇拝されている」と述べている。人権にかかわる憲章はマグナ＝カルタから現代に受け継がれた遺産だ。1948年の世界人権宣言の国連での採択に尽力した中心人物であるエレノア・ローズヴェルトは、この宣言が「世界中のすべての人の国際的なマグナ＝カルタ」になることを願っていた。マグナ＝カルタは1950年に調印された「欧州人権条約」にも反映されている。

1215年当時、マグナ＝カルタの写しが大量に作られ、イングランド各州の役人に送られたが、現存するのは4部のみ。そのう

ち2部はロンドンの大英図書館、1部はソールズベリー大聖堂、もう1部はリンカン大聖堂に所蔵されている。この4部が2015年にしばしの間、ロンドンの大英図書館に集まった。その800年ぶりの再会は、時を超えて受け継がれた文書にふさわしい記念イベントとなった。

上｜大英図書館が所蔵する1215年のマグナ＝カルタの原本。黄色の枠で囲ったのは、「nullus liber homo capiatur, vel imprisonetur … nisi per legale judicium parium suorum vel per legem terrae」と書かれた重要なラテン語の言葉だ。
「いかなる自由人も、逮捕され投獄され、または権利や所有物を奪われ……ることはない」と書かれている。

レオナルド＝ダ＝ヴィンチの
自筆ノート

レオナルド＝ダ＝ヴィンチの絵画はあまりにも有名。だが、発明も有名だ。彼はいつも紙きれを持ち歩いてアイデアを書き殴り、自然界や天体、絵や建築、数学、人体や鳥の飛び方の観察で数千枚を埋め尽くした。その自筆ノート、つまり手稿は、事実と空想と未来が詰まった宝の山だ。

わたしたちにとってありがたいことに、レオナルド＝ダ＝ヴィンチは手で緻密に書くことで、物事をわかろうとした。彼の自筆ノート、つまり手稿には、アーティストのまなざしと科学者の好奇心が絶妙なバランスで現れている。ダ＝ヴィンチが熱中していたことのひとつに、飛行能力という人間にとって夢の技術がある。彼は鳥が空を飛ぶときに翼と尾でどのようにバランスをとっているかを、スケッチ500点と3万5千語を費やして記録した。飛行装置「オーニソプター」も構想した。この装置には動力がなく、人間の操縦士が翼のはばたきを制御する。ダ＝ヴィンチがそのアイデアをテストしたことは1度もなく、それが実際に飛べたかどうかは、かなり疑わしい。しかし、空気が流体だと基本的に理解していたことから、ダ＝ヴィンチは航空力学研究のパイオニアとなった。ライト兄弟（146ページ）が最初の有人動力飛行をはじめて成功させたのは、それから約400年後のこと。そのフライトのあと兄弟はダ＝ヴィンチの先見性に敬意を表し、彼を「人類史上最も偉大なアーティストであり、エンジニア」

と呼んだ。

　飛行能力は、ダ＝ヴィンチの幅広い興味のひとつでしかない。ノートはそのほかにも太陽光発電、架橋技術や人間の唇の解剖といった多種多様なテーマにあふれていた。そうかと思えば、もっと世俗的な内容もあった。たとえば買い物リスト、借りたい本についてのメモ、金を貸した相手の名前なども記されている。

　専門家の意見によれば、ダ＝ヴィンチの幼少期の体験がその天才的な才能に深い影響を及ぼしたらしい。ダ＝ヴィンチは1452年に、フィレンツェに住む公証人の非嫡出として生まれた。学校には満足に通わず、ほとんどのことを独学で学んだ。しかし父は息子の芸術的な才能に気づき、息子が15歳のときに画家であり彫刻家でもあるアンドレア・デル・ヴェロッキオの工房に弟子入りをさせる。師匠のヴェロッキオは弟子たちに、人体の構造を理解しておくべきだと力説していた。そのおかげでダ＝ヴィンチは、手足や筋肉、それ以外にも体の部位をスケッチするのが抜群に上手くなった。のちに彼が居をかまえ、活躍したフィレン

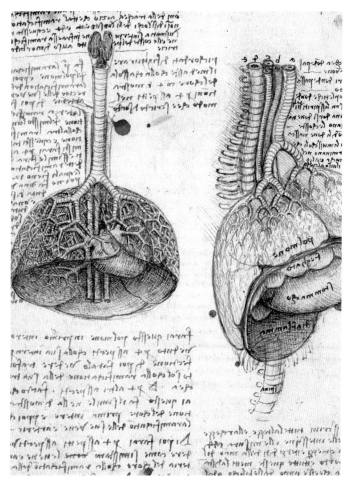

右｜ダ゠ヴィンチによる、肺のスケッチ（左）。右は、さまざまな臓器や器官の分類。脊椎、肺、横隔膜、脾臓、胃、肝臓があるのがわかる。豚の臓器や器官を描いたらしい。

ツェとミラノとローマでは、人の死体を実際に解剖する許可を与えられた。ダ゠ヴィンチのノートには、解剖に関する240点以上の細かいスケッチと、1万3千語の言葉が残されている。現代では「動脈硬化」と呼ばれる症状を老化のプロセスのひとつとして、彼はいち早く記述した。また、肝硬変に罹患した肝臓も特定していた。

　真の意味でルネサンス（文芸復興）人であるダ゠ヴィンチが観察を書き留めるように

なったのは、1480年代の中頃らしい。当時、彼はミラノに移り住んでいた。ミラノの統治者に軍事技術者として雇ってほしいと自薦の手紙を出し、採用されたのだ。右から左に読む「鏡文字」で書いたのはおそらく、左利きだったからだろう。専門家によると、彼は最初紙切れに書き、それをのちに綴じて帳面にしたらしい。ダ゠ヴィンチはミラノに17年間住み、その間はいつも、素晴らしく型破りなアイデアや思いつき、

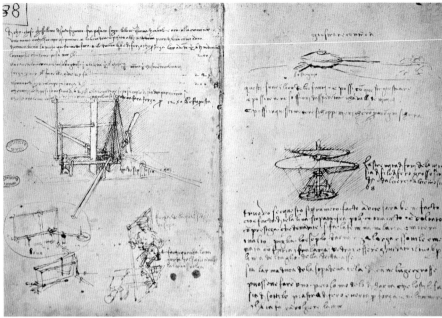

上｜飛行能力に関するスケッチが多い。左は、人間が動力となる飛行装置。右はプロペラだ。

左｜レオナルドの自画像だと広く認められている素描。赤のチョークで描かれている。現在はトリノの王立図書館が収蔵。ただし、ダメージを受けやすい状態のため、めったに公開されない。

ける靴、電気オルガン、派手なステージ衣装、灌漑用排水装置、都市計画、建築……など、その記録は、とてもここには書ききれない。絵画についてもしばしば、書かれている。食卓に集まり食事を取る人々の様子についての記述はおそらく、1495年頃に描きはじめたフレスコ画『最後の晩餐』のために調べたものだろう。ルネサンス時代の突出したアーティストのひとりであったダ＝ヴィンチだが、身の回りの世界に気を取られるあまり、絵画を最後まで完成させられないことがよくあった。また、完全主義者でもあった。代表作といわれる『モナリ

発明を思いつくまま書き留めていた。戦争の兵器——たとえば、鎌のような刃を回転させて人を切る戦車、計算機、水の上を歩

ザ』に着手したのは1503年だが、完成まで何年も描き続け、ことあるごとに筆を入れ、陰影を加えていた。

　晩年のダ＝ヴィンチは絵を描くより、自分の「研究」にうちこんだ。どうやら、このノートは出版するはずだったらしい。その心づもりは、テーマごとの所見をできるだけひとつのページに収めようとしていたことからもうかがえる。しかし残念ながら、この偉大な人物は1519年に67歳で亡くなった。彼の生前、ノートは世に出せず、その愛弟子（そしておそらく愛人の）フランチェスコ・メルツィに遺された。メルツィはダ＝ヴィンチの絵画についての考えをすべて『絵画論』というタイトルの本にまとめたが、それ以外のことはほとんどなにもしなかった。死後200年以上たってようやく、このノートは世間の注目を集めた。7千ページが17冊のノートの形で残っている。これはこのルネサンス時代の洞察力に優れた男が書いたものの約20%でしかない。これらのノートは現在、ただひとつの例外を除き、イタリアやスペイン、フランス、イギリスの美術館や博物館に保管されている。その例外とは、ビル・ゲイツが個人で所有しているノートだ。ゲイツはそのページの一部をデジタル化し、マイクロソフトOSのスクリーンセーバーにしている。

　2012年3月5日に火星に着陸したアメリカ航空宇宙局（NASA）の探査機キュリオシティには、ダ＝ヴィンチの自画像、そして鳥の飛行能力を記した彼の手稿のデジタルデータが積まれていた。

　ダ＝ヴィンチは人類の宝という言葉では表現しきれない存在だ。人間の創造力をたどる歴史を振り返っても、偉大なるヒーローのひとりだ。

下｜胎児と腕の研究。人体についてのダ＝ヴィンチの高度な知識がうかがえる。ダ＝ヴィンチは人類史上はじめて、胎児を正確にスケッチした人物だといわれている。

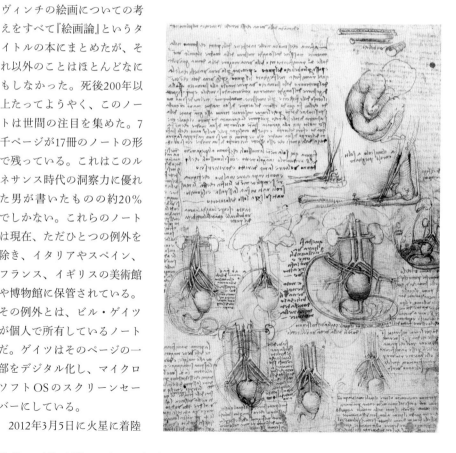

14

トルデシリャス条約

世界を舞台にした帝国の覇権争いに、はじめてルールを定めたトルデシリャス条約。植民地拡大の先駆けとなったスペインとポルトガル両国に、それぞれ地球上の決められた地域を支配する権利を認めるもので、教皇アレクサンデル6世の大勅書をきっかけに1494年に結ばれた。教皇は、西は南北アメリカ大陸、南はアフリカ、東はインドなど、世界中に冒険家を送り出した両国間で高まっていた緊張関係を、解決する必要に迫られていた。

スペイン語に堪能でない限り、「トルデシリャス」という町の名前は、そこからドウロ川をすこしさかのぼった州都の名バリャドリッドと同じように、発音しにくいだろう。それでも「トルデシリャス」ときくととりわけ歴史的な響きを感じるのは、ポルトガルとの国境から120キロメートルのこの町で、世界がはじめて、ふたつの帝国に分割されたからだ。のちにイギリスやオランダ、フランスが次々と植民地を獲得して帝国を広げ、世界地図を塗り替えるそのずっと前に、イベリア半島のふたつの強国がヨーロッパの外に探検家を送り出した。そこで当然の摩擦が起き、その結果、トルデシリャス条約が結ばれた。

ヨーロッパの外にまず船団を派遣したの

左｜激しく議論するヴァチカン、スペイン、ポルトガルの代表。当時の地図を前に、世界をどのように分けるべきか話し合っている。1494年の条約により、世界は大まかにふたつに区切られた。

右｜ポルトガル王ジョアン2
世（左）とローマ教皇アレク
サンデル6世（右）——条約
締結の主な立役者。

は、ポルトガルだった。1400年にマデイラ
に、2年後にアゾレス諸島に達したあと、
ポルトガル王室は15世紀末にかけて、アフ
リカ沿岸部にポルトガル国旗を掲げようと
出航する探検家たちを熱心に支援した。安
全で、風をつかみやすいキャラベル船が発
明されたことで、探検家たちはカーボベル
デに到達し、さらに1470年代にはギニア湾
にまで達した。1488年にはバルトロメウ・
ディアスがアフリカ南端の喜望峰を回り、
1498年にはヴァスコ・ダ・ガマがインドに
上陸した。ポルトガルの勢いはとどまると
ころを知らぬかにみえた。だが、大西洋の
西に航路を開きたいというクリスト
ファー・コロンブスの資金援助の依頼をポ
ルトガル王が断ったのをきっかけに、スペ
インの巻き返しが始まっていた。スペイン
の支援を受け、コロンブスはアメリカに上
陸した。1493年にコロンブスが最初の航海
からもどった頃、ポルトガルがアフリカ南
端のさらに先に勢力を伸ばしていることが
伝えられ、ヨーロッパの二大宗主国となっ
た両国の緊張関係が高まり、解決策が必要
になった。

最初に妥協案を提示したのは、ローマ教
皇アレクサンデル6世だった。当時のヴァ
チカンは教皇の大勅書という宗教的な命令
を出すことにより、初期の国際問題の解決
に重要な役割を果たしていた。アレクサン
デル6世は、大西洋のアゾレス諸島とカー
ボベルデの西100レグア［1レグアは約5.6キロ
メートル］に子午線を定め、スペインはこの
子午線の西側にある非キリスト教徒の土地
を植民地にできるとした。ポルトガルへの
言及はなかった。誇り高いポルトガル王
ジョアン2世はこれをおもしろく思わな
かった。このときすでに謀反を企てたとし
て義理の兄を殺していたジョアン2世の要
求に、スペインはすぐに同意し、両国の権
利をもっと公平に区分する条約を結ぶこと
になった。

1494年、両国はトルデシリャスで会談
し、ポルトガル側の納得のいく合意に達し
た。大西洋の子午線はさらに270レグア西
に定められた。ポルトガルはこの子午線の
東側で、西側におけるスペインと同じ機会
を確約された。ポルトガルにとって都合が
よかったのは、この新しい子午線により、

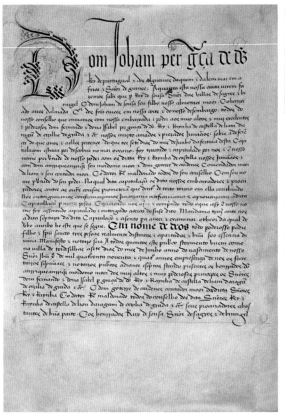

南大西洋に張り出しているブラジルの一部が東側に含まれたことだった。このすぐあとに、ポルトガル人の航海者ペドロ・カブラルがインドに向かう途中でブラジルに上陸し、ポルトガルの国旗を立てたことにより、ポルトガルは内陸部へと領土を広げていくことになる。

　トルデシリャス条約によって、ポルトガルはインド洋の先にまで勢力を伸ばす権利を得た。しかしその「先」とはどこまでか。条約ではポルトガルの権利の東限を定めていなかった。ポルトガル人の航海者が現在のインドネシア領にあるモルッカ諸島に到達したことで、境界はさらに不明瞭になった。「スパイス諸島（香料諸島）」と呼ばれるようになるモルッカ諸島は、質の高いナツメグやクローヴの産地で、船に積んでヨーロッパに持ち帰れば多くの利益が得られた。1511年にポルトガルが先に到達したが、続いてスペインも到達し、2国間で争いが生じたため、新たな条約を結んで分界線を定めなければならなくなった。サラゴサ条約が結ばれ、大西洋と同じように太平洋にも分界線が決められたことで、軋轢はおさまった。まもなくポルトガルは太平洋の西側に勢力を広げ、モルッカ諸島、マカ

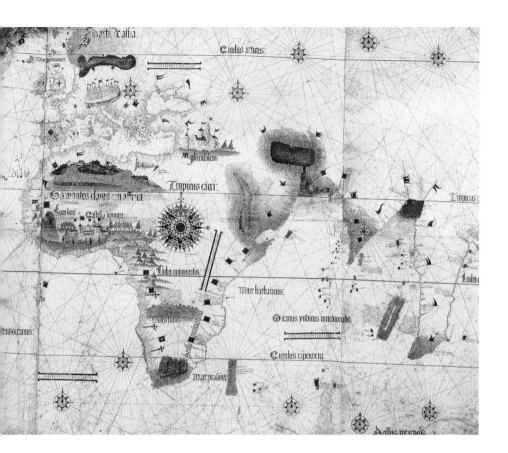

オ、さらにはるか北東にある日本の長崎にまで居留地を増やしていく。

皮肉なことに、両国の大規模な植民地拡大競争も、やがてヨーロッパのほかの国々が世界中に植民地を獲得するようになると、勢いを失っていく。スペインとポルトガルは、まずは新興の帝国との競争によって、のちには統治領の独立運動によって植民地を失うことになるが、トルデシリャス条約が地球規模で勢力の住み分けをする最初の試みであったことに変わりはない。その影響は何世紀にもわたって続き、アルゼンチンがイギリス領のフォークランド諸島

の領有権を主張したとき、またチリが南極大陸の一部の領有権を主張したときにも、それぞれの正当性を示す根拠のひとつとされた。

『メンドーサ絵文書』

メンドーサ絵文書は、めずらしい歴史資料である。アステカ文明の歴史に、わたしたちがこれ以上身近にふれられることはない。なんといってもこれは、アステカ人自身が残した証拠なのである。メキシコ中央部の先住民は文字を持たなかったので、征服者は彼らに記録を絵で残すよう命じた。これはその成果物だ。作成されたのは16世紀半ば。1320年代に始まり、1521年にスペイン人に征服されるまで栄えた、アステカの絵物語である。

アステカ文明は、世界史のなかで最も魅惑的なトピックのひとつに挙げられるに違いない。しかし残念なことにアステカ人は文字を持たなかったので、その歴史や暮らしぶりについての記述はなにも残されていない。それゆえ、この71ページの手描きの「絵文書」は貴重だ。スペイン人が1521年にアステカ帝国を征服してからわずか20年ほどのちに記され、アメリカ大陸史のなかでも謎に包まれた時代を、魔法のように解き明かしてくれるからだ。メンドーサ絵文書

は、スペイン人がやってくる前の先住民の手によるものであるという点で、非常に価値がある。それは絵でつむぐ物語だ。先住民の絵師が自分たちの歴史や統治の仕組みや文化を絵で表し、そこにスペイン人の聖職者が彼らからきき取った説明を文字で書き加えている。各ページには、アステカ最後の皇帝モテクソマ2世の都市であるテノチティトランと、その都市や周辺に住む人々（彼らは自分たちを「メシカ」と呼んだ）についての説明がある。現在のメキシコシティ

左｜アステカ人の楽しげな日常が垣間みえるひとコマ。飲酒は高齢者の特権だった。この絵では老女が「プルケ」（サボテンから造った酒）を飲んでいる。

右｜絵文書の口絵。アステカに属する地域の民は首都テノチティトランに貢ぎ物をした。棒に突き刺してある骸骨（中央右）は生け贄である。

は、テノチティトランの廃墟の上に作られている。わたしたちは現地を訪れた際、考古学博物館にあるアステカ文明の素晴らしい展示に心を奪われた。ともあれ、博物館にいったことがあるかどうかに関係なく、メンドーサ絵文書をみればアステカ人の暮らしを知ることができる。

　手描きの絵文書の口絵には、この素晴らしい物語のはじまりが、みごとなまでに色鮮やかに描かれている。中央のサボテンにとまっているワシは、14世紀のはじめにアステカ人が自分たちの都をみつけるきっかけとなった伝説を表している。彼らは守護神ウィツィロポチトリから、お告げを受けた。都とすべき場所にはサボテンが生えていて、そこにワシがとまっているというのだ。その場所とは、テスココ湖にある島だった。島は水路によって4つに分かれているのだが、この絵にも水路が大きな青の「X」の形に描かれている。スペインの侵略者たちは、この地を「西のベニス」と呼んだ。拡大するアステカ帝国を象徴するのが下部にある絵で、ふたりのアステカ戦士に対し、敗れた敵が小さく描かれている。

　この絵文書は、新たにメキシコを治めることになったスペイン副王の命令によって作られた。王の名はアントニオ・デ・メンドーサ。1535年に即位した。それよりわずか14年前、エルナン・コルテス率いる小規模のスペイン軍がアステカ帝国に侵攻し、モテクソマ2世を倒した。メンドーサはスペイン領になる前のメキシコの様子を記録し、スペイン王カール5世に献上したいと考えたのだ。ところが、絵文書はスペインに運ばれる途中、海賊に略奪されてフランスに売り払われ、その後パリ在住のイギリス人、リチャード・ハクリューに買い取られた。ハクリューが自国に持ち帰った絵文書は、最終的にオックスフォードのボドリ

アン博物館に収められ、現在もそこに保管されている。

　絵文書には、アステカの王たちが帝国を築いていく様子が描かれている。周辺の町は無情にも制圧され、人々はテノチティトランへの貢ぎ物を強要された。これはわずか200年――1320年代から1521年までの出来事だ。絵文書では、最も偉大な王のひとりに、1440年から1469年まで在位したモテクソマ1世を挙げている。モテクソマ1世のもとで都市は繁栄し、その後、栄華はスペイン人に征服されるまで続いた。偶然にも、メキシコでアステカが力をふるっていた最後の1世紀は、ペルー、エクアドル、チリでインカ帝国が栄えていた時期と一致する。そしてインカ帝国もまた、1500年代はじめにスペイン人の「征服者」（コンキスタドール）によって滅ぼされた。

　この美しく描かれた絵文書のなかでひときわ興味をひかれるのは、アステカの文化や日々の暮らしを表現した絵である。たとえば、人々の身につけているみごとな衣服

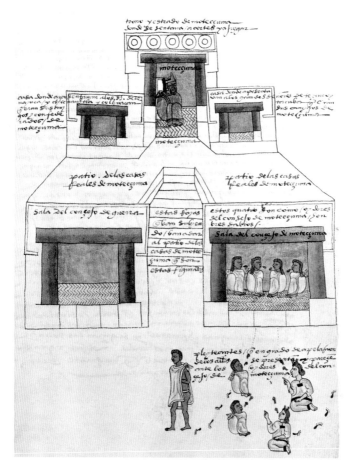

左｜アステカ王宮の見取り図。モテクソマ2世が最上階の王の間に座っている。

15｜『メンドーサ絵文書』

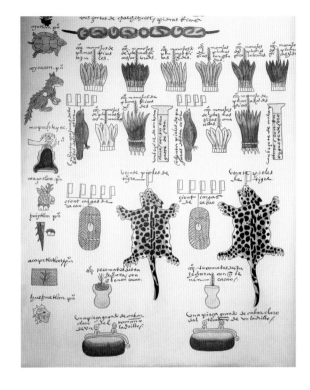

をみると、厳格な階級社会であるアステカで、その人がどの階級に属していたのかがわかる。いうことをきかない子どもは頭を剃られ、女性はその多くが15歳で結婚し、夫に不貞を働くと厳しく罰せられたこともここから知れる。また、人身御供は当たり前のように行われた。絵文書の先頭ページ、中央右寄りのラックにある骸骨でそれが象徴的に描かれている。このぞっとするような慣習については詳しく説明した記録がほかにあり、そこには人間が都の神殿に生け贄として捧げられたとある。群衆が見守るなか、王はみずからの手で「生け贄の胸にナイフを突き刺し、切り裂いた」。専門家によれば、ひとりの王がこのような方法で何千もの人間を殺したという。

アステカ人にはおそろしい慣習があった。とはいえ、メキシコとペルーにおけるスペイン人征服者たちの残虐な行為により、これらの地の古代帝国が終焉を迎えたことも忘れてはならない。

左｜メキシコを征服したスペイン人コンキスタドール、エルナン・コルテス。アステカ王、モテクソマ2世から贈り物を受け取っている。その甲斐なく、王は数か月後に死んでメキシコはスペイン領となった。

16

コペルニクスの
『天球の回転について』

科学史に燦然と輝く論文『天球の回転について』は、人々の世界観を塗り替えた。ニコラス・コペルニクスは、一般に信じられていた定説に異議を唱えた。当時の人は、地球は宇宙の中心にあり、太陽や惑星、月がそのまわりを回転していると考えていた。コペルニクスは1543年に、太陽のまわりを回転しているのはじつは地球のほうだという思いきった考えを発表した。この地動説によって彼は、科学革命をいち早く成し遂げた先駆者となる。

印刷物になったみずからの最高傑作をコペルニクスがはじめてみたのは、1543年5月24日。この日、彼は息を引き取った。脳出血で倒れて以来、病と闘っていたコペルニクスのもとに、ひとりの友人が活字になったばかりの本を握りしめて駆けつける。死の床にあったコペルニクスは閉じた目をまた開き、その本をちらりとみて、安らかに息を引き取った……。少なくともこれが、

コペルニクスについて一般的に語られている、おそらくは脚色された感動的な話だ。この才気あふれる謙虚な男は、惑星がみごとな調和を保ちながら太陽のまわりを回っているのを示すことに、文字通り生涯を捧げた。

上｜ドイツの切手。ニコラス・コペルニクス生誕500年を記念したもの。彼はポーランド出身だが、ドイツ出身の家系に生まれたと考えられている。
右｜コペルニクスの自画像。曲がった鼻と、左目の上の小さな傷に注目。これらを手がかりに考古学者が、2005年に発見された頭蓋骨をコペルニクスのものだと断定する。

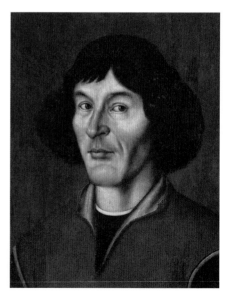

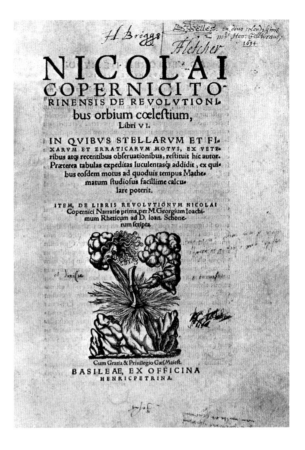

　ニコラス・コペルニクスは1473年にポーランドに生まれた。天文学、占星術、数学、医学、そして法律をポーランドとイタリアの大学で学んだ。ポーランドにもどると、ローマ・カトリックの司教を務めていたおじの秘書として働いた。昼間は、教会が支配する土地の地代を集め、聖堂参事会の財務を監督し、おじの主治医も務めた。夜は、星を眺めた。望遠鏡はまだ発明されていなかったので、彼は肉眼で天体を観測した。

　当時、宇宙は地球を中心に回っていると考えられていた。つまり、地球は宇宙の中心で動かず、そのまわりを太陽や月、惑星が等速で円運動しているという考えだ。紀元前4世紀の古代ギリシアの哲学者アリストテレスが最初に唱えたこの説を、同じく古代ギリシアのプトレマイオスが400年後に大成させた。このモデルでどうしても説明がつかなかったのが、天文学者が「みかけの逆行運動」と呼ぶ問題だ。これは惑星がときおり、軌道上を逆向きに動くようにみえる現象を指す。1514年には、コペルニクスは『コメンタリオルス（小さな注釈）』という手書きの論文を完成させていた。そのなかで、この「みかけの逆行運動」が起きるの

は、地球が宇宙空間を動いているからだと説いた。また、日の出と日の入りの時刻、季節の変化もまた、地球が太陽のまわりを公転しているから起きると述べていた。コペルニクス以前にも、宇宙は太陽を中心に動いていると唱えていた人は、わずかにいた。しかしコペルニクスがなんといっても素晴らしいのは、自分の主張を証明する事実や数字を驚くほどたくさん挙げた点だ。

　友人たちはコペルニクスに研究成果の発表を強く勧めたが、彼は尻ごみした。さらに詳しい書物を書くには、もっと数字の裏づけが必要だというのだ。おそらく、カト

リック教会を怒らせるのを恐れたのだと考えられている。教会は、神が宇宙を創り、その中心に地球を据えたと主張していたのである。

　コペルニクスはそれからさらに30年もの間、この研究の発表を控えていた。にもかかわらず、ずば抜けて優秀な天文学者だという評判は広まった。彼はピサにも招かれ、ユリウス・カエサルの時代から続くユリウス暦を改暦しようとしていたカトリック教会に意見を述べたこともあった。それまで長年使われていた暦だが、太陽の位置とのずれが無視できなくなっていたのだ。コペルニクスはまた、お金の額面の価値と実際の価値について、現在でも重要な概念とされる経済学の理論を作り上げた。とはいえ、天文学は、子どもの頃からの情熱であり続けた。だから、彼は人生を賭けたミッションに、ひたすらうちこんだ。とりわけ素晴らしい発見は、太陽を中心とする惑星の配置を割り出す方法をみつけだしたことだ。彼はこれを使い、惑星と太陽の間のそれぞれの相対距離をはじきだした。

　コペルニクスの研究の集大成となる『天球の回転について』はどうやら、1532年ごろには完成していたらしい。ところがこのときも彼は、「斬新かつ難解」なこの説が人々のあざけりの的となるのを恐れ、発表したがらなかった。400ページに及ぶこの手稿は、コペルニクスがこの世を去る1543年まで世に出なかった。そこには彼が編み出した太陽系のモデルと、惑星の軌道が示されていた。

　歴史を覆したこの資料では、カトリック教会の反応を気遣い、パウルス3世に序文を捧げている。ヴァチカンはこの本をコペルニクスの死後73年たった1616年に禁書目録に加えた。『天球の回転について』発行から90年後の1633年にはイタリアの天文学者ガリレオ・ガリレイ（1564-

左｜この黒い花崗岩の墓碑がコペルニクスの墓所に立てられている。彼が唱えた太陽系モデルをもとにデザインしたもの。金色の太陽のまわりを、6つの惑星が回る。
上｜コペルニクスが惑星を描いた有名なスケッチ。内側から水星、金星、地球と月、火星、木星、土星が静止した太陽のまわりを回っている。

上｜このみごとな宇宙図は、ドイツで生まれオランダで活躍した地図製作者、アンドレアス・セラリウスによるもの。コペルニクスの地動説に沿って描かれている。

1642年)が宗教裁判にかけられ、有罪になった。「聖書の真意と権威に異議を唱えたコペルニクスの立場を受け継いだ」異端者とされたのだ。

　コペルニクスが着手した研究は、ヨハネス・ケプラー(1571–1630年)やアイザック・ニュートン(1643–1727年)といった科学者に引き継がれ、宇宙のしくみや科学のありかたについて新しい考えが生みだされた。コペルニクスの遺体はポーランドのフロムボルクにある、生前彼が聖堂参事会会員を務めた聖堂に埋葬された。墓の正確な位置がわからず、長らくさまざまな調査がおこなわれたが、徒労に終わっていた。2005年に

考古学者のチームが、コペルニクスの遺骨らしきものを発見する。その頭蓋骨のDNAを分析したところ、コペルニクスの蔵書にはさまっていた彼の毛髪のDNAと一致した。そこで2010年5月22日に、このあまりにも有名な天文学者の二度目の葬儀がとりおこなわれた。黒花崗岩で作られた墓碑には、彼の太陽系モデルが刻まれている。そこでは、黄金に輝く太陽のまわりを6つの惑星が回っている。

17

シェイクスピアの
「ファーストフォリオ」

古今東西の貴重な文書を紹介するなら、ウィリアム・シェイクスピアの貢献は、はずせない。この作家は英文学史上、だれもが認める唯一無二の存在だ。「ファーストフォリオ」とは、未公開作品18編を含む戯曲集。編んだのは、この偉大なる詩人の仕事仲間だった役者ふたり。この1冊がなければ、シェイクスピアの作品のなかでも世にも有名な傑作の一部は永遠に失われていたはずだ。これが世界でも一、二を争うほど価値ある印刷書籍といわれるのも、当然だ。

『ジュリアス・シーザー』、『マクベス』、『お気に召すまま』、『十二夜』が存在しない世界を想像できるだろうか。信じがたいことに、ウィリアム・シェイクスピアの元同

上｜この本の所有者は、世界最大の「ファーストフォリオ」コレクター。アメリカ石油業界の大物ヘンリー・クレイ・フォルジャーとその妻エミリーは、1889年に蒐集をはじめた。

僚ふたりの情熱、そして先見の明がなければ、これらの作品はもちろん、彼の作品の多くは埋もれ、後世に残らなかったのだ。シェイクスピアの戯曲の少なくとも半分がこの世からあとかたもなく消えるのを救ったのは、ジョン・ヘミングスとヘンリー・コンデルだ。シェイクスピアの劇団であるロンドン・グローブ座の役者だったこのふたりは、彼のみごとな作品は後世の人々にも読み継がれると確信していた。1616年にシェイクスピアが死ぬとその戯曲をすべて集め、その書き手にふさわしい本にして印刷しようと動き出した。それが『ウィリアム・シェイクスピアの喜劇、史劇、悲劇』というタイトルの本になり、「ファーストフォリオ」と呼ばれ、世に親しまれる。これは間違いなく、英語圏で最も貴重な文書のひとつである。

シェイクスピアの時代、脚本家はまず「草稿」と呼ばれる手書きの原稿を書いた。次に本人または助手がそれを転記してもっと読みやすい「完成原稿」にする。そのとき

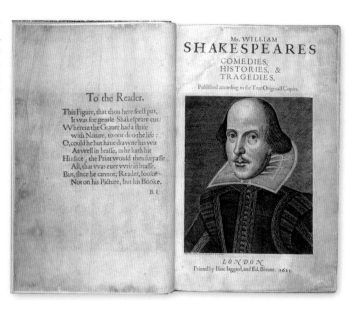

右｜オリジナル版のシェイクスピアの肖像画が使われているファーストフォリオは世界に4冊しかない。これはその1冊。これ以降は版を重ねるたび、この天才詩人の外見にわずかな修正を加えている。

To the Reader.

This Figure, that thou here feest put,
It was for gentle Shakespeare cut;
Wherein the Grauer had a ſtrife
with Nature, to out-doo the life :
O, could he but haue drawne his wit
As well in braſſe, as he hath hit
His face ; the Print would then ſurpaſſe
All, that vvas euer vvrit in braſſe.
But, ſince he cannot, Reader, looke
Not on his Picture, but his Booke.

B. I.

Mr. WILLIAM
SHAKESPEARES
COMEDIES,
HISTORIES, &
TRAGEDIES.
Publiſhed according to the True Originall Copies.

LONDON
Printed by Iſaac Iaggard, and Ed. Blount. 1623.

に、ト書きなど演出に関する情報をプロンプター用脚本に書き加える。シェイクスピア本人による自筆原稿はひとつも現存していないが、36作品のうち18作品が四つ折り（クォート）判で印刷されていた。クォート判は現代のペーパーバックと同じくらいの大きさで、1枚の紙を2回半分に折って作る。シェイクスピアの原作に忠実に思えるものは「良い」クォートと呼ばれたが、「悪い」クォートもあった。後者はおそらく、脚本の下書きから抜粋されたか、役者の記憶を元に作られていたらしい。エリザベス朝の頃、演劇グループ間の競争は激しかったので、良い脚本はよく許可なく不当に利益をかすめとるやり方で真似された。

　ヘミングスとコンデルは「良い」クォートを使い、「ファーストフォリオ」を編纂した。また、残っていたありとあらゆる削除や訂正の多い草稿や完成原稿、制作チームのバイブルともいえるプロンプター用脚本にも目を向けた。とりわけこれは、四つ折り判では発表されていなかった18の戯曲を転記するときに重要な役目を果たした。ふたりともシェイクスピアと同じ舞台に立ったことがあるので、おそらく自分たちの同僚、仲間の役者、作家に声をかけ、それぞれの戯曲での記憶を照らし合わせられるように協力を求めたのだろう。

　資料が集まったところで、ヘミングスとコンデルは戯曲を喜劇、悲劇、史劇に分けたが、そのときの判断をもとに、今もわたしたちはシェイクスピアの一連の作品を体系的に理解している。ふたりはまたフランドル系彫刻家、マーティン・ドルーシャウトに依頼し、本の扉に載せるシェイクスピアの肖像画を制作させた。ドルーシャウトは生前のモデルに一度も会っていない。この絵はおそらく、若い頃の肖像画を写生したものだろう。その肖像画は、現存していない。同時代に活躍した詩人で劇作家のベ

上｜「ファーストフォリオ」への序文。冒頭に、シェイクスピアのパトロンだった貴族の兄弟への謝辞がある。この後に、「さまざまな読者へ」というユーモアに富んだメッセージが続く。

ン・ジョンソンがこの絵をよく似ていると評価したため、この稀代の詩人の特徴的な広い額と丸い頭がこのように世界に知れ渡った。

　これらの戯曲は、大きな紙を半分に折った二つ折り（フォリオ）判で出版された。これは、シェイクスピアの作品が当時、高い評価を受けていたなによりもの証拠だ。その当時、フォリオ判で出せるのは、聖書のように重要な書物に限られていたのだ。印刷工程はとてつもない大仕事で、ウィリアムとその息子アイザックのジャガード親子のチームが約2年かけて完成させた。フォリオは1冊900ページの長さに及び、さらにほとんどの作品が印刷前に編集され、なおかつすべての素材の約15％の本文に活字組みのときに修正が入った形跡がみられた。「ファーストフォリオ」のひとつひとつに違いがあるのはそのせいだ。また誤植もあり、『トロイラスとクレシダ』という戯曲にいたっては、収録されているが目次には載っていない。誤りはさておき、ジョン・

ヘミングスとヘンリー・コンデルは自分たちが生み出した傑作に大喜びだっただろう。序文に彼らは「不正なやり方でそこなわれ、ゆがめられ、盗みや騙しによって持ち出された写本、そして……贋作」を強く非難し、彼らの本に収められたシェイクスピアの戯曲は「救われたもので……彼がこれらの作品を生み出した数とぴったり一致している」ことを保証した。

刷られた数の記録は残っていないが、だいたい750冊から1千冊だといわれている。うち、現存するのは235冊だ。アメリカのワシントンDCにあるフォルジャー・シェイクスピア図書館には82冊が収蔵されており、世界最大のコレクションを誇る。また、東京にある明星大学にも12冊ある。「ファーストフォリオ」は世界中の博物館や図書館に保管されており、現在でもさらに発見され続けている。2014年にはフランスのサントメールの図書館職員が、館内で山と積まれた英語の本のなかから1冊をみつけだした。また、2016年にはスコットランドにある一般公開されている大邸宅、マウントスチュアートハウスからも1冊でてきた。

1623年に「ファーストフォリオ」が出版された当時、価格は1ポンドだった。これは現在の価値に換算すると、180ポンド（2021年現在、約2,700円）に相当する。この本が2006年にオークションに出品されたときには、約500万ドル（2021年現在約5.4億円）の値がついた。

この本の序文で、シェイクスピアと同時代に活躍した詩人で劇作家のベン・ジョンソンはこう記している。「ひとつの時代だけではない。彼はどんな時代にも受け入れられる」。今もわたしたちがその恩恵にあやかれるのは、「ファーストフォリオ」のおかげだ。

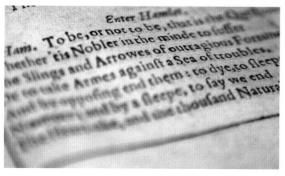

左上｜1997年に再建されたシェイクスピアのグローブ座。1613年に火事で焼失した元々の建物の近くに建てられた。
左下｜ハムレットのひとり台詞の最初の1行が、「ファーストフォリオ」でも読める。この台詞は英語で書かれた文のなかでもあまりにも有名。

ウェストファリア条約

ウェストファリア条約はヨーロッパ史において重要な意味を持つ。複数の条約からなるこの講和条約は、1648年、数十年にわたる苛烈な戦いによって疲弊したヨーロッパ大陸の中央で、100以上の国によって調印された。その後まもなくヨーロッパは新たな戦いに巻きこまれることになるが、ウェストファリア条約が示した平和な共生の形と国家主権の尊重は、今でも国際関係の基本理念となっている。

三十年戦争は史上まれにみる激しい戦いで戦いは、1618年から1648年にかけて続いた。神聖ローマ帝国という興味深い寄せ集め所帯を構成する大小数百におよぶ領邦間の争いに、フランスやスウェーデンなど他国も加わったのだ。神聖ローマ帝国は、北はバルト海から南はイタリア北部、東は現在のルーマニアまで、広大な領土を誇っていた。30年にわたる激しい戦闘と破壊により、人口のおよそ3分の1が命を落とした。ブラウンシュヴァイクやメクレンブルクなど、ドイツの多くの小国は、戦闘に加え、病気と飢饉によって荒廃した。悲惨な例をひとつ挙げると、ドイツ北部のマクデブルクは、敵軍による焼き討ちとその後の混乱によって人口の80%を失った。領邦間の容赦ない戦いは、カトリックとプロテスタントという宗教的な違いと、外国勢力の介入によって激しさを増し、30年たってようやくすべての関係国が講和を求めるようになった。戦いに疲れたというより、むしろ戦争を続けても戦略的に無意味であるという認識が、ウェストファリア条約につながった。

当時、ハプスブルク家の皇帝として神聖ローマ帝国を支配していたフェルディナント2世は、熱心なカトリック信徒だった。彼は皇帝の権威で、寄せ集めの領邦をおさえつけようとしたが、領邦の多くは100年前に起きた宗教改革の影響でプロテスタントになっていた。戦争は1618年にボヘミアで始まった。プロテスタントの信徒たちが、フェルディナント2世の代理官ふたりを浅はかにもプラハ城の窓から投げ落とした事件がきっかけだった。この「プラハ窓外放出

上｜ドイツのオスナブリュックにある市庁舎のドアハンドル。1648年のウェストファリア条約締結を記念して「friede（平和）」と刻まれている。

右｜スウェーデンのグスタフ・アドルフ王。1611年から1632年まで統治した。勇敢な指揮官だった彼は、スウェーデンをヨーロッパの大国にした。
下｜ウェストファリア条約の条文。ヨーロッパの大小さまざまな国が1648年10月24日に集まり、外交史に残る重要な合意をした。

事件」でふたりの代理官は命をとりとめた——肥やしの山の上に落ちたといわれている——が、フェルディナント2世はそのような侮辱をみすごせなかった。さらに、ボヘミアがフェルディナント2世を皇帝とし

て認めない決定までしたため、フェルディナント2世は兵を出し、1620年、主にプロテスタントからなるボヘミア軍をヴァイセンベルクの戦いで破った。

　勢いづいたフェルディナント2世は、そ

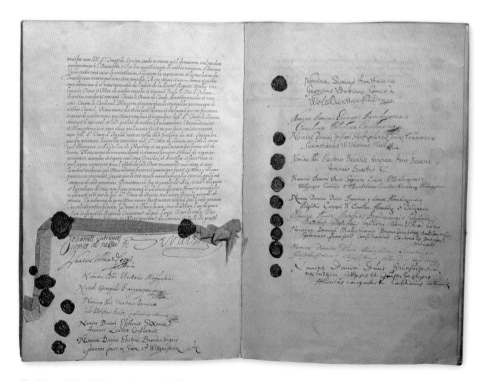

れから数年間、軍事力を拡大させて、ばらばらになりつつある帝国の領邦をおさえつけようとした。そこに、他国も戦争によってもたらされる利益を目当てに次々に参入してきた。まずデンマーク、そしてスウェーデン、フランス、スペインが続いた。最後にネーデルラントのオランダが、この戦争を、自国の独立を揺るぎないものにする好機とみて参戦した。最も優勢だったスウェーデンを率いていたのは覇気あふれる国王グスタフ・アドルフで、ヨーロッパのプロテスタント側の救世主とみなされた。グスタフ・アドルフは1631年にブライテンフェルトで皇帝軍を破ったが、快進撃は続かず、翌年のリュッツェンの戦いで命を落とした。まもなくリシュリュー枢機卿が宰相を務めるフランスが参戦し、勇猛な司令官アンギャン公の軍勢が国境地帯を勝ち取った。さらに、皇帝側についたスペイン軍との戦いも始まった。激しい戦闘が続き、市民の苦難は1640年代まで続いた。1648年頃になると、敵も味方も、とくにウィーンの皇帝政権が、これ以上戦いを続けても得られるものはないと感じるようになっていた。

　講和に向けての交渉が行われたのは、ウェストファリア［ドイツ語読みはヴェストファーレン］地域の町、ミュンスターとオスナブリュックだった。ばらばらとはいえ負け知らずだった神聖ローマ帝国の100以上の領邦、さらに戦いに加わった他国から代表者が集まった。そして結ばれた講和条約によって、中央ヨーロッパのほとんどの国の国境がほぼ確定した。スウェーデンはバルト海沿岸のドイツ北部の領土を獲得した。フランスはアルザス地方の一部と、東側の国境沿いのメッツ、ヴェルダンなどを獲得した。そしてスイスとオランダは独立した。しかし、この条約が革新的で後世に大きな影響力を残した理由は、認められた

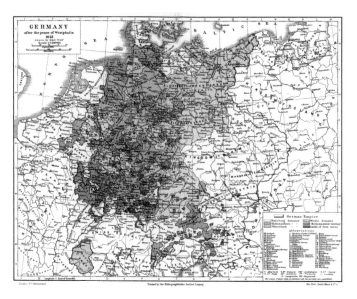

左｜ウェストファリア条約当時の神聖ローマ帝国の国々。条約はそれぞれの国が隣国と平和に共存する権利を確立した。ほとんどは19世紀に統一され、ドイツになった。

国境内での国家の完全な独立主権を明記することによって、将来の紛争解決の基本理念を示した点にある。ウェストファリア条約は、すべての国家が他国の干渉を受けずに自国のことを決められるという、国際的な認識を新たに確立した。その結果、弱体化しつつあった帝国の権限が大幅に減らされ、キリスト教世界の象徴としての存在意義も薄れていった。当然のことながら、有力な指導者たちのなかで唯一ローマ教皇インノケンティウス10世だけがこの条約をあからさまに非難し、「ありえない、無効だ、根拠がない、不正だ、言語道断だ……未来永劫無意味である」と評した。

それでも神聖ローマ帝国はなんとか存続した。18世紀半ばにはプロイセンのフリードリヒ大王が侵攻したが、ウィーンの皇帝政権が長く支配を続けていた多くの公国は奪えなかった。これらの小さな公国がドイツとして統一するには、天才的指導者ビスマルクが1世紀後に登場するのを待たなければならない。

下｜ウェストファリア条約の先駆けとなったミュンスター条約は、オスナブリュックでの条約締結の4か月前に、オランダ（左）とスペイン（右）の間で結ばれた。

第 3 部

革命の時代

1776年–1893年

アメリカ独立宣言

イギリスの植民地だった北アメリカ13州によるアメリカ独立宣言をきっかけに、合衆国の人々はイギリスの統治からの解放を求めて戦争をはじめた。この文書は1776年7月4日に宣言された。この新国家をようやく認めたのは、1783年のパリ条約だった。アメリカ独立戦争が世界各地の自由のための闘争に与えた影響は、とても大きい。

この大胆な文書から、超大国が生まれた。しかし、その希望と約束の地の繁栄はすぐには訪れない。それからおよそ100年待つことになる。その前にこの国は、ふたつの国内紛争に苦しんだ。1775年に始まり1783年に終わった独立戦争と、1861年から1765年の南北戦争である。それらをへて20世紀になってようやく、その外側の世界を形作れるようになったのだ。とはいえ、この宣言の冒頭の誇らしい文章は、アメリカの歴史を明るく照らし続けた。「われわれは、これらの真理を自明のものとする。すべての人間は生まれながらにして平等で、創造主によって、生命、自由および幸福の追求を含む不可侵の権利が与えられている」。

この文書は理想主義と希望の光だったが、アメリカ人がそれに沿って生きられるようになるまで時間がかかった。たとえば、奴隷制度を廃止するのに1世紀近くかかっている。しかし、1900年代になる頃には、多少の難はあるものの、アメリカは自国民に自由と繁栄を与えるという点で世界の先頭に立っていた。軍事力が論争の的となる戦地で行使されたこともあった。しかし、経済力は世界のどの国からも一目置かれている。

思えばその道のりは驚くべきものだった。そもそも、1770年代にイギリスがアメ

左｜アメリカ独立宣言の文章を起草した5人のうちのひとり、ベンジャミン・フランクリン。ジョン・ハンコックが彼やほかの革命家に「われわれはバラバラ(hang apart)になってはいけない」というと、フランクリンはまさにそうだと答え、こういった。「さもないと、間違いなくひとりずつ絞首刑(hang separately)になるだろう」。

右｜宣言文の起草者のひとりで、のちにアメリカ合衆国第2代大統領となったジョン・アダムズ。

リカの13州の植民地に不適切な統治を行ったことで、市民のいらだちは募っていた。イギリス政府はロンドンにいながらにして、愚かなことをした。ウェストミンスターにある英国議会を動かす投票権を持たないアメリカ国民に次々と税金を課したのだ。そこでヴァージニア州のトマス゠ジェファソン、ペンシルヴァニア州のベンジャミン・フランクリン、マサチューセッツ州のジョン・アダムズといった州知事は、最初は自治権の拡大を求めたが、やがて敢然と反乱を起こすにいたったのだ。

　市民のいらだちは怒りに変わった。1773年にイギリスが紅茶に課税したのだ。茶葉の入った大きな船荷がボストン港に着くと、数十人の抗議者が340箱あまりの茶葉を海に投げ捨てた。そのときの抗議者には愛国者として伝説的な活躍をしたポール・リビアもいた。イギリスはすぐさま、アメリカの重要な貿易港のひとつだったボストン港を閉鎖する。そして、嫌われ者のボストン駐屯イギリス軍最高司令官のトマス・ゲイジをマサチューセッツ州総督に任命した。その後のゲイジの言動はアメリカの市民活動の指導者をさらに怒らせた。抗議者だった彼らは、革命家になった。1775年4

右｜大陸会議議長のジョン・ハンコックを筆頭に、56人の代表が署名したアメリカの独立宣言。ハンコックのサインは目立って大きい。

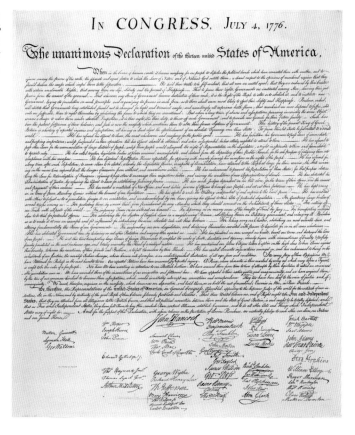

上左｜独立宣言の主な起草者であるトマス＝ジェファソン。
上右｜1776年6月28日、大陸会議議長ジョン・ハンコックに
独立宣言起草案を提出する5人の起草委員。左から、ジョ
ン・アダムズ（のちの第2代アメリカ大統領）、ロジャー・
シャーマン、ロバート・リビングストン、トマス＝ジェファソン
（第3代アメリカ大統領）、ベンジャミン・フランクリン。

月、ゲイジはイギリス軍に命じ、コンコー
ドの町から武器を接収するように命じた。
アメリカの民兵がその町に武器を備蓄して
いたことを把握していたのだ。これによっ
て、戦いの火蓋が切られた。銃撃戦が繰り
広げられ、双方に死者が出た。こうして独
立戦争が始まった。

　意外にも、そのときも、この独立戦争を
主導した人物の多くは、戦争よりも和解を
望んでいた。彼らが望んでいたのは、エド
マンド・バークのような穏健派の声にイギ
リスが耳を傾けることだった。エドマン
ド・バークはアメリカ人を「アメリカの植
民地にいるわれらイギリス人の同胞」と呼
び、もっと寛大な対応を求めた人物だ。と
はいえ、1775年8月に国王ジョージ3世がア
メリカ人は今「公然と反乱を起こしている」
と宣言したこと、そしてトマス＝ペインが
『コモン＝センス』というセンセーショナル
な冊子のなかで独立したアメリカの共和政

治を提唱したことなどをきっかけに、アメ
リカの指導者は決定的な一歩を踏み出し
た。1776年6月、13州のうち9州が、トマス
＝ジェファソン、ジョン・アダムズ、ベン
ジャミン・フランクリンら5人からなる委
員を任命し、「独立宣言」を起草した。残り
4州のうち、ペンシルヴァニア州とサウス
カロライナ州の2州は参加を辞退し、
ニューヨーク州とデラウェア州の2州は参
加をためらった。7月2日、ペンシルヴァニ
ア州フィラデルフィアで開催された第2回
大陸会議にはニューヨーク以外のすべての
州が参加し、独立宣言の発効が可決され
た。この宣言は、トマス＝ジェファソンが
その文言の大部分を起案し、この議会の議
長を務めたジョン・ハンコックがまっさき
に署名した。しかもハンコックは署名欄の
一番上にでかでかとサインした［このことに
ちなみ、アメリカでは「ジョン・ハンコック」は「サ
イン」のことを指すようになる］。そして独立宣
言は7月4日に発効された。しかし、ニュー
ヨークを含むすべての州の代表団全員が署
名するまでには、しばらく時間がかかった。
　宣言は主に3つの部分にわかれている。序
文と導入部には、忘れがたい言葉が綴られ

ている。「度重なる権力の濫用と侵害」を続けてきたイギリス政府とのつながりを捨て去る人民の権利を強く主張している。次に、ジョージ3世が統治するイギリス政府に対するアメリカ人の不満を連ねた告訴状が続く。そこにはイギリスがアメリカの民主主義の権利を踏みにじり、不当な課税を行い、13の植民地に対して戦争を仕掛けた事例を28件挙げている。最後にこの宣言は次のような反抗的な言葉で締めくくられている。「……これらの連合した植民地は自由な独立した国家であり、そうあるべき当然の権利を有する。したがって、イギリス国王に対する忠誠の義務から完全に解放され、イギリス王室ならびにイギリス国家とのあらゆる政治的な関係は完全に解消され、また解消されるべきである」。賽は投げられた。しかし、その後もイギリス政府との戦争と交渉に7年の月日を費やしてから、アメリカ合衆国はようやく完全に独立を果たした。

独立宣言の発表をアメリカ人の大半が喜んで受けいれたが、イギリスを支持したご

く一部の「王党派」は、しばらくの間懸念を抱き続けた。「王党派」の一部は、カナダに移住した。しかし、その1年前にアメリカ軍総司令官に任命されていたジョージ・ワシントンは、ニューヨークでみずからの部隊の前でこの宣言文を読み上げさせている。署名者のひとり、ニューハンプシャー州代表のウィリアム・ホィップルは、この言葉に触発され、所有していた奴隷を解放した。アメリカの独立宣言はその後もフランス革命をはじめ、世界各地の独立運動に影響を与えることになる。

下｜イギリス軍が降伏した1781年のヨークタウンの戦い。そのときの様子はジョン・トランブルの絵画で永遠に残され、現在もアメリカ連邦議会議事堂に飾られている。この絵には「コーンウォリス卿の降伏」というタイトルがついているが実際には、イギリス最高司令官を務めていたコーンウォリス卿はその場にいなかった。彼は、自分の代わりに次席司令官オハラ（中央左の赤服の人物）を送りこみ、勝利したアメリカ軍とその同盟国であるフランス軍の馬に乗った士官たちの間を歩かせた。これに応え、アメリカのジョージ・ワシントン総司令官（中央右の茶色い馬に乗った人物）は、副官のベンジャミン・リンカーン将軍（中央）にオハラの剣を取らせた。

20

球戯場の誓い

フランス革命の火種となった重要な出来事といえば、球戯場の誓いだ。1789年、フランス国王によって議会から排除されたことを知った平民代表の議員たちが憤慨し、ヴェルサイユ宮殿の球戯場に集まった。そこで行った歴史的な宣言が、フランスの政治と近代ヨーロッパの道筋を変えた。

近代ヨーロッパの民主政治の発展は、17世紀半ばのイングランド内戦から、20世紀の東欧における共産主義の敗北にいたるまで、武力によるいくつかの攻防をへてきた。歴史の大きな流れのなかでも、フランス革命（1789年–1799年）はその残忍な暴力と過激な急進主義的政策で、他に類をみない。最も苛烈をきわめた「恐怖時代」と呼ばれる1793年夏から1794年夏まで、パリの街は文字どおり血塗られ、2万人が断頭台に送られた。マクシミリアン・ロベスピエー

ルの公安委員会による暴力に拍車がかかったのは、「サン・キュロット」と呼ばれる左翼層が激しい抗議行動を起こし、自由と平等の名のもとに貴族階級を廃止するよう要求したためだった。キュロットは膝丈の上品なズボンで、批判の的となっている貴族階級の男性がはいていた。公安委員会の中心にいた熱血漢のベルトラン・バレルは、「自由の木は専制君主の血によってのみ育つ」などと公言し、サン・キュロットをあおった。革命が進んだ1794年末には、フラ

左｜1789年6月20日、国民議会の議長ジャン＝シルヴァン・バイイ（中央の黒服の男性）が仲間とともに球戯場の誓いを立て、「公平な憲法」を求めた。

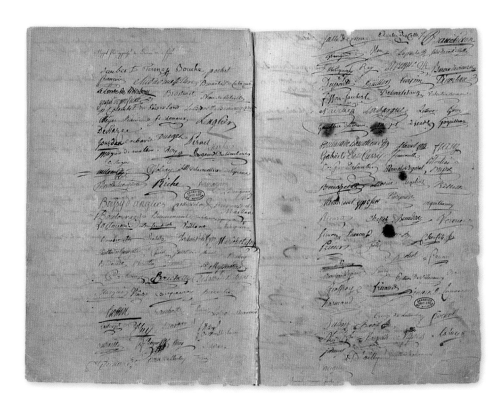

上｜誓いの署名。合わせて600人近くが国王から人民への権力の移行を要求している。

ンスの上流階級とカトリック教会の多くの人々が断頭台に送られ、その露と消えた。

　この激しい革命が動きだしたのは、その5年前の1789年、最初の革命支持者たちがヴェルサイユ宮殿の球戯台に集まったときだった。それまで、フランスは国王が君臨し、自分たちの権力と特権をあくまでも守ろうとする貴族層によって支えられていた。35歳だった国王ルイ16世は優柔不断で、賢明な助言をしてくれる者もいなかった。ジャン＝ジャック・ルソーら絶対王政に異議を申し立てた政治思想家の考えが広まり、フランスの経済の落ちこみに人民が大きな不安を抱いた時期に王位にあったことも不運だった。また、王妃マリー・アントワネットの浪費も王の評判を著しくそこねていた。王妃は、飢饉でパンもなく飢えている人々がいるときいて、「ケーキを食べればいいじゃない」といったとされる。

　状況が悪化の一途をたどるなか、ルイ16世は1789年夏に民主的な改革を認める必要に迫られていた。そこで、長らく開かれていなかった三部会──フランス社会を構成する聖職者、貴族、そして平民の3つの「身分」の代表が集まる議会──を復活させようとした。フランス国民の大部分を占める第三身分の平民の代表は、国王の提案を拒否し、フランスを統治する権利があるのは自分たちだけだと宣言した。そしてみずか

上｜襲撃されるバスティーユ牢獄。中世に要塞として建て
られたパリの牢獄が、1789年7月14日に陥落した。フランス
では、この襲撃の日を毎年祝っている。

ら「国民議会」と称するようになった。国王
は、権力を保持するか、自由な改革を認め
るかの板挟みになり、すべての身分を議会
に召集することにした。ヴェルサイユ宮殿
の大広間を会場として準備したが、国王が
混乱を避けようと議場の閉鎖を命じたた
め、第三身分の議員たちが会議を予定して
いた日にドアが閉まったままになってい

た。議員たちは激怒した。折しも大雨が
降っていたが、そのとき議員のひとりが、
1世紀前にルイ14世が体を動かすために建
てさせた室内球戯場がすぐ近くにあること
を思い出した。600人ほどの議員は荒れ模
様の天気から逃れられることに安堵した。
そして国王が用意した正式な会場に入れな
いのなら、いっそのこと自分たちで誓いを
立てようと決め、歴史的な宣言を発表し
た。議長を務めたジャン゠シルヴァン・バ
イイが球戯場の中央に置かれた粗末なテー

20｜球戯場の誓い

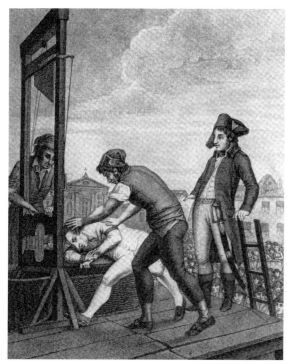

左｜1794年、マクシミリアン・ロベスピエールの処刑。フランス革命の有名な指導者で、恐怖政治を行った。過激な政策に対して反発が起こり、みずからも断頭台で処刑されることになった。
上｜ルイ16世の王妃マリー・アントワネット。1793年に夫とともに断頭台に送られた。

ブルの上に立ち、左手を胸に、右手を頭の上に挙げて、宣言を先導した。「われわれは神と祖国に誓う。公平で信頼できる憲法を制定するまで、決して解散しない……」

2か月のうちに国民議会はいくつもの改革を立法化して、封建制度のあらゆる名残や特権を廃止し、教会の権力と富を制限し、人権宣言を採択した。同じ頃、人民の間で国王への不信感が高まって、市街で暴動が起こるようになり、1789年7月14日には国王の権威の象徴であったバスティーユ牢獄が襲撃を受けた。過激な革命家のグループが次々とでき、覇権を巡って攻撃し合ったが、そのなかでとくに過激なロベスピエール率いるジャコバン派によって1793年夏からの恐怖時代が始まる頃には、革命

初期のリーダーたちは危険な保守派とみなされるようになっていた。第三身分のリーダーとして国民議会を立ち上げ、仲間とともに球戯場の誓いを立てたバイイは、恐怖時代さなかの1793年11月に断頭台に送られた。国王ルイ16世と王妃マリー・アントワネットも、同じ年に断頭台で処刑された。意外にもロベスピエールの支持者のなかでもとりわけ残忍だった熱血漢のベルトラン・バレルは、革命と、そのあとのナポレオンの治世を生きのびた。そして85歳のとき、ベッドで静かに息を引き取った。

21
メアリ・ウルストンクラフトの
『女性の権利の擁護』

18世紀のイギリスで、女性の伝統的な役割に疑問を呈し、現代にいたるまでフェミニスト運動を導く灯火となっている刺激的な著作。女性が書いた本としてはじめて、女性は男性と同じ権利を持つ理性的な存在であると主張した。女性にも本格的な教育が必要だと訴えたこの本で、著者のメアリ・ウルストンクラフトは18世紀のイギリスを代表する哲学者となった。

ヨーロッパの啓蒙時代、男性が牛耳る哲学界で異彩を放った女性哲学者、メアリ・ウルストンクラフト。彼女の思想の基礎となったのは、ジョン・ロック、ジャン=ジャック・ルソー、トマス・ペインらの急

上｜出版から5年後のメアリ・ウルストンクラフトの肖像画。この肖像画が描かれた1797年、ウルストンクラフトは出産で命を落とした。

進的な考え方で、物事を理解し、社会をよりよくするには理性こそが重要だというものだった。ウルストンクラフトの文章が、男性の哲学者たちとちがって独創的なのは、女性は男性とまったく同じように論理的思考ができると主張した点だ。女性が二流市民とみなされていた時代に、教育によって自分の人生を自分で決め、男性への「盲従」を終わらせようという女性たちへの呼びかけは、革命的だった。

　ウルストンクラフトの主張の多くは、自身の経験から得たものだ。1759年、ウルストンクラフトはロンドンに生まれた。もとは裕福な家庭だったが、経済的に困窮するようになっていた。父親は浪費癖があり、支配的で、暴力をふるった。ウルストンクラフトは母親を守るために、母親の寝室のドアの前で眠ることもあった。兄のネッドがケンブリッジ大学に進学し、法律を学ぶ一方で、ウルストンクラフトら娘たちは、家事をたたきこまれた。その苦い経験から、自立したければ学問が必要だと学んだ。学校を設立したが失敗し、裕福な婦人

の話し相手や家庭教師として働いた。当時、落ちぶれた中産階級の女性が仕事を得ようとしても、選択肢はそのくらいしかなかった。そんな人生が変わったきっかけは、国教会に反対するキリスト教徒のグループに出会ったことだった。彼らはひとりひとりが理性を働かせて人生の大きな問題の答えをみつけ、その答えにもとづいてより公正な社会をつくろうと考えていた人々で、のちに「ユニテリアン派」と呼ばれるようになる。グループのメンバーで、急進的な書籍の出版に携わっていたジョゼフ・ジョンソンは、ウルストンクラフトに自身が発行する政治雑誌『分析的批評』への投稿を依頼した。そしてジョンソンは1792年、ウルストンクラフトの名著『女性の権利の擁護』を出版する。

この先駆的な著作のなかで、ウルストンクラフトは、神のもとでは男性も女性も平等なのだから、同じ道徳的ルールを当てはめるべきだという見解を示した。そして文化の影響によって、女性が理性的な思考より、外見だの、歌やら縫い物やらといった嗜みだのを重視するようになっていると述べた。見栄を張っ

たり、うわべだけを気にかけたりするのは、男性がそれを奨励しているからだとも非難している。第3章では、こう書いている。「幼い頃から美しさが女性の価値基準であると教えられるため、心は外見に支配されるようになり、うわべだけの容れ物である体のまわりをさまようばかりで、みずからの牢獄を飾りたてる役にしか立たな

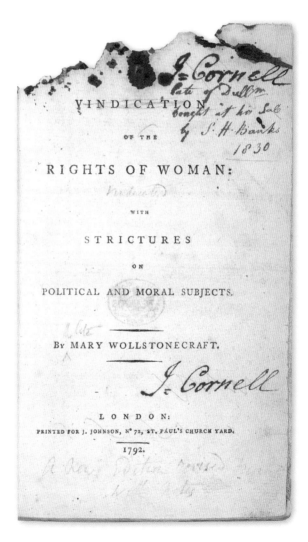

右｜1792年に出版されたメアリ・ウルストンクラフトの革新的な著作『女性の権利の擁護』。初版はすぐに完売した。

上｜メアリ・ウルストンクラフトの娘メアリ・シェリーの肖像画。ウルストンクラフトはこの娘を産んでわずか11日目にこの世を去った。娘は17歳のときにイギリスの詩人パーシー・ビッシュ・シェリーと駆け落ち。その4年後の1818年に有名な怪奇小説『フランケンシュタイン』を書いた。

い」。そして伝統的な「玩具」や「愛玩犬」の役割を拒否し、教育を受けようと女性たちに訴えかけている。「女性が男性に対して決定権を持つべきだといっているのではない、女性が自分自身について決定権を持つべきだといっているのだ」といい、男性と同じように女性も教育を受けることによって、より良い妻や母になれ、キャリアを持てるようになると主張する。

この著作がはじめて出版されたとき、批判はほとんどきかれなかった。これは女性の教育水準が低く、権利も認められていなかった当時としては、驚くべきことだろう。ウルストンクラフトを「ペティコートをはいたハイエナ」と呼ぶ口の悪い人間もいたが、概して評判はよかった。初版は完売し、増刷されたが、その後数年の間に起きた出来事が、ウルストンクラフトとその草分け的な考えに対する評判を地に落とすことになる。

『女性の権利の擁護』の出版直後、33歳だったウルストンクラフトはパリにいき、フランス革命を支援した。これで待望の政治的・社会的変革が実現すると信じてのことだった。パリ到着の数週間後、フランス国王ルイ16世が処刑された。ウルストンクラフトはアメリカ人実業家ギルバート・イムレイと恋に落ち、娘ファニーを産んだ。しかしイムレイが結婚を拒んだため、絶望したウルストンクラフトは2度自殺をはかることになる。1795年にロンドンにもどったのち、急進的な思想家ウィリアム・ゴドウィンと親しくなり、交際が始まった。ふたりとも結婚制度には懐疑的だったが、ウルストンクラフトの妊娠がわかると結婚。1797年、娘メアリが生まれた（のちにメアリ・シェリーとなり、『フランケンシュタイン』を書く）。数日後、ウルストンクラフトは産褥熱で死亡した。38歳だった。

ウルストンクラフトの死後、ゴドウィンは回想録を書いた。真実を書くべきだという信念を持っていたゴドウィンは、過去の恋愛沙汰についても包み隠さず、婚外子を産んだことや自殺未遂をしたことまで明かした。また、ウルストンクラフトが書き遺した未完の小説も出版した。それは、結婚制度をはじめ、さまざまな問題を批判する内容だった。大きなスキャンダルが巻き起こってウルストンクラフトの評判は地に落ち、先見の明のある思想までが見下されて、その後1世紀の間ほとんど顧みられなくなった。ようやくウルストンクラフトの著作がまた注目されるようになったのは、

19世紀後半、女性たちが参政権を求めるようになってからだ。20世紀にフェミニスト運動が発展すると、メアリ・ウルストンクラフトはフェミニズムの母として、再び正当な評価を受けることとなる。

左｜ウルストンクラフトの著作からの4ページ。男性と女性は平等であるという主張が全編にわたってくり返されている。

INTRODUCTION.

AFTER considering the historic page, and viewing the living world with anxious folicitude, the moft melancholy emotions of forrowful indignation have depreffed my fpirits, and I have fighed when obliged to confefs, that either nature has made a great difference between man and man, or that the civilization which has hitherto taken place in the world has been very partial. I have turned over various books written on the fubject of education, and patiently obferved the conduct of parents and the management of fchools; but what has been the refult?—a profound conviction that the neglected education of my fellow-creatures is the grand fource of the mifery I deplore; and that women, in particular, are rendered weak and wretched by a variety of concurring caufes, originating from one hafty conclufion. The conduct and manners of women, in fact, evidently prove

B   that

56   VINDICATION OF THE

merely employed to adorn her perfon, that fhe may amufe the languid hours, and foften the cares of a fellow-creature who is willing to be enlivened by her fmiles and tricks, when the ferious bufinefs of life is over.

Befides, the woman who ftrengthens her body and exercifes her mind will, by managing her family and practifing various virtues, become the friend, and not the humble dependent of her hufband, and if fhe deferves his regard by poffeffing fuch fubftantial qualities, fhe will not find it neceffary to conceal her affection, nor to pretend to an unnatural coldnefs of conftitution to excite her hufband's paffions. In fact, if we revert to hiftory, we fhall find that the women who have diftinguifhed themfelves have neither been the moft beautiful nor the moft gentle of their fex.

Nature, or, to fpeak with ftrict propriety, God, has made all things right; but man has fought him out many inventions to mar the work. I now allude to that part of Dr. Gregory's treatife, where he advifes a wife never to let her hufband know the extent of her fenfibility or affection. Voluptuous precaution, and as meffectual as abfurd.—Love, from its very nature, muft be tranfitory. To

feek

146   VINDICATION OF THE

to fave him from finking into abfolute brutality, by rubbing off the rough angles of his character; and by playful dalliance to give fome dignity to the appetite that draws him to them.—Gracious Creator of the whole human race! haft thou created fuch a being as woman, who can trace thy wifdom in thy works, and feel that thou alone art by thy nature, exalted above her,—for no better purpofe?—Can fhe believe that fhe was only made to fubmit to man, her equal; a being, who, like her, was fent into the world to acquire virtue?—Can fhe confent to be occupied merely to pleafe him; merely to adorn the earth, when her foul is capable of rifing to thee?—And can fhe reft fupinely dependent on man for reafon, when fhe ought to mount with him the arduous fteeps of knowledge?—

Yet, if love be the fupreme good, let women be only educated to infpire it, and let every charm be polifhed to intoxicate the fenfes; but, if they are moral beings, let them have a chance to become intelligent; and let love to man be only a part of that glowing flame of univerfal love, which, after encircling humanity, mounts in grateful incenfe to God.

To

452   VINDICATION, &c.

the horfe or the afs for whom ye provide provender—and allow her the privileges of ignorance, to whom ye deny the rights of reafon, or ye will be worfe than Egyptian tafk-mafters, expecting virtue where nature has not given understanding!

END OF THE FIRST VOLUME.

(all published)

22

ベートーヴェンの『交響曲第五番』

本書に手書きの楽譜を載せようと決めたとき、なにを選ぶかはすぐ決まった。「運命」として知られるベートーヴェンの『交響曲第五番』だ。曲の始まりのあの特徴的な4つの音符（ダ、ダ、ダ、ダーン!）は、ことのほか印象的な旋律のひとつだ。ルートヴィヒ・ヴァン・ベートーヴェンの傑作がそれ以上に素晴らしいのは、そのスリリングで革新的な瞬間が、ヨハネス・ブラームスからチャック・ベリーまで、後世の作曲家たちに影響を与えたことだ。

「ベートーヴェンの『交響曲第五番』は、人間の耳に入ってきた雑多な音のなかで最も崇高なものであり、多くの人に認められるだろう」。これはE・M・フォースターの『ハワーズ・エンド』第5章の冒頭の一節だが、この交響曲に対するわたしたちの意見をみごとにまとめている。この曲は世界でも突出した人気を誇る、よく演奏されている作品のひとつだ。しかし、これほど傑出した曲をこの作曲家が楽譜に残すまでは、ひと筋縄ではいかなかった。ベートーヴェンは、4年かけて『交響曲第五番』を完成させたがその間、私生活で大きな不安を抱えていた。自筆の楽譜をみれば、いったん書いては書き直すといったことが、いくつかの箇所で20回にも及んだことがありありとわかる。ベートーヴェンの伝記を書いたエーミール・ルートヴィヒは、この交響曲を「ベートーヴェンが後世に遺してくれた最高の自画像」と呼んでいる。

　1804年、ベートーヴェンは34歳でこの曲を書きはじめたが、波乱のなかにいた。住

上｜1820年に『ミサ・ソレムニス』を作曲するベートーヴェン。ドイツ人画家のヨーゼフ・カール・シュティーラーとは4回しか会わなかったため、手を描く部分ではシュティーラーは記憶をたよりにしなければならなかった。

んでいたオーストリア・ウィーンの町にナポレオン軍が進軍中という情勢のなか、彼は耳がきこえなくなりつつあった。聴力を徐々に失っていくのがあまりにもショック

で、自殺も考えた。また、耳鳴りが続くこ
とにも悩まされていた。ピアニストとして
も、作曲家としても、鍵盤の特定の音域を
ききとる能力が次第に落ちていくのはひど
くつらかっただろう。ベートーヴェンの秘
書だったアントン・シンドラーは、冒頭の
4音の主題について、ベートーヴェンから
「運命がドアをノックする音」ときいたと
語っている。この曲は『運命交響曲』とも呼
ばれるが、その「運命」とは自身の聴覚喪失
のことなのか、ナポレオン戦争のことなの

上｜ベートーヴェン自身が書いた『交響曲第五番』の楽譜。
有名な4つの音から始まる。左側の楽器リストの1番上にある
「フルート」の文字は、消されている。力強いオープニングに
は繊細すぎると判断したのだ。

かについては意見が分かれる。彼は第1に
フランス革命、次にナポレオンの熱狂的な
支持者で、『交響曲第三番』は英雄とあがめ
ていたナポレオンに捧げるつもりだった。
しかし、ナポレオンがみずからを「フラン
ス皇帝」と名乗ったことで彼は幻滅する。
ベートーヴェンは楽譜表紙に記したナポレ

オンの名前を消し、「ある英雄の思い出のために」と献辞にしたため、献呈先もあらためる。1805年にナポレオン軍がウィーンを砲撃したときは枕で両耳を覆い、爆発音で聴覚がさらにそこなわれないようにしていた。

1808年12月22日、『交響曲第五番』はアン・デア・ウィーン劇場で初演され、ベートーヴェン自身が指揮をしたが、観客の反応はぱっとしなかった。リハーサルを1度しか行わなかったオーケストラの演奏は惨憺たるもので、全体のプログラムは4時間を超え、そのうえコンサートホールの暖房も効いていなかったのだ。また、聴衆はこの新作にとまどった。いくつか斬新な試みがあったのだ。たとえば、ふたつの主題が交互に変奏を繰り返し進んでいたり、ある主題の旋律が別の楽章に出てきたり、交響曲ではじめてトロンボーンが使われたりしていた。最も重要なのは、ベートーヴェンが一般的な交響曲の形式を変えたことである。通常、交響曲は最初の楽章と同じ調で最終楽章が終わる。しかし、この『第五』はハ短調で始まりハ長調で終わり、提示部よりも終結部（コーダ）がクライマックスになる。この斬新な展開によって、聴き手の感情も暗い逆境から光あふれる勝利へと移ろっていく。ベートーヴェンは、短調から長調への移行についてこう書いている。「多くの人が短調の曲は必ず短調で終わるべきだと主張する。ところがわたしはそれと逆のことに気づいた……長調には華々しい印象を与える効果があるのだ。苦しみのあとの歓喜、雨のあとの太陽のように」

この交響曲を絶賛する評価が出はじめたのは、1年半後。楽譜が出版されてからだった。1810年、作家・音楽評論家のE・T・A・ホフマン（のちに児童文学『くるみ割り人形とねずみの王様』を執筆）は、詩的な言葉でこの曲を褒めそやした。「この素晴らしい曲は、高揚感を徐々に盛り上げていくクライマックスによって、聴き手をとこしえの魂の世界へといやおうなしに引っ張っていく！……そこでは悲しみと喜びが音になり聴き手を包みこむのだ」

ベートーヴェンは、音楽の演奏方法や聴き方を変えた革命児として評価されている。大人数で構成されるオーケストラのあ

左｜ウィーンの歴史ある劇場アン・デア・ウィーン。ここで、ベートーヴェンの『交響曲第五番』が初演された。外壁の銘板には、1803年から1804年にかけてオペラ『フィデリオ』を作曲する間この劇場に無料で住んでいた、ベートーヴェンの名が刻まれている。

り方に新しい基準を打ち立て、ブラームス、チャイコフスキー、マーラーといった作曲家に大きな影響を与えた。彼らはベートーヴェンを真似て短調から長調へ、闇から光へと変わる音楽を作った。第二次世界大戦中、『交響曲第五番』は、人々に今までにない刺激を与えた。有名な「ビクトリーのV」サインにちなんで、『勝利の交響曲（ビクトリー・シンフォニー）』と呼ばれるようになったのだ。「V」はローマ数字の「5」であり、「V」のモールス信号は、第1楽章の最初の4音と同じく、3つの短点（・）とひとつの長点（──）で構成されているからだ。BBCは戦時中ずっと占領下のヨーロッパに向けて、ベートーヴェンの『交響曲第五番』の最初の4つの音を繰り返し流した。
　1956年にはチャック・ベリーが『ロール・オーヴァー・ベートーヴェン』という曲でメロディを拝借している。「運命の動機（モチーフ）」へのオマージュを、ウォルト・ディズニーの『ファンタジア2000』などの映画や、ビデオゲーム、テレビのテーマ曲、イギリスのSFドラマシリーズ『ドクター・フー』などできくことができる。『交響曲第五番』は、宇宙にまで進出している。1977年に無人宇宙探査機ボイジャーにこの曲を録音したレコード盤が搭載されたのだ。これは、時空を超えて人々に受け入れられる、この作曲家にふさわしい栄誉だ。

下｜アン・デア・ウィーン劇場の贅を尽くした内装は、19世紀ヨーロッパの人々を驚かせた。しかし、1808年12月22日にこの場所でベートーヴェンの『交響曲第五番』がはじめて演奏されたときは、暖房が効いておらず、どうしようもなく寒かった。

23

フランシス・スコット・キーの
「星条旗」

アメリカ合衆国の国歌となったこの詩は、若き詩人フランシス・スコット・キーが書いたものだ。1814年9月、ボルティモアはイギリス軍の攻撃を受けた。それを目の当たりにしたキーは、一晩中砲撃を受けてもなお、港の砦の上にひるがえっていた星条旗に感銘を受け、愛国心に突き動かされてこの詩をつづった。

アメリカ合衆国の国歌が書かれた経緯は、その歌詞と同じくらい希望にあふれている。この歌詞は、合衆国の歴史のとある暗い局面が終わりを迎えたときに、弁護士であり詩人である若いアメリカ人によって書かれたものだ。イギリスの支配から解放されてわずか31年後の1814年9月13日、アメリカ合衆国はふたたび国の命運を賭けた戦いのさなかにあった。対する敵は1781年にヨークタウンから敗走した国、イギリス

だ。前回の戦争で屈辱を味わっていたので、こんどは思い切った復讐をしかけてきたのだ。イギリスは激怒していた。アメリカが1812年に宣戦布告をしてきたうえに、自分たちがフランス皇帝ナポレオンと競り合っているすきに自国領のカナダに侵攻したからである。1814年の夏を迎える前の時点で、ナポレオンがすでに失脚しエルバ島に流されていたこともあって、イギリスは自分たちがアメリカよりかなり優勢だと考

左｜1814年9月13日の夜から翌朝にかけて砲撃を受けるマックヘンリ砦。イギリス海軍の銃と砲弾をもってしても、砦を制圧できなかった。

右｜1814年9月14日の夜明け、フランシス・スコット・キーはこの詩を紙片に書きとめた。1世紀以上たってから、この詩はアメリカ国歌となる。

えていた。そして、30隻以上の軍艦と兵員輸送船からなる艦隊が大西洋を渡った。イギリス政府いわく「当然の一撃」をアメリカに加えるためだ。この作戦の目的はアメリカをふたたび支配することではなく、ひきょうな不意打ちを仕掛けてきた——イギリスの閣僚たちはそう考えていた——かつての入植者たちをこらしめることだった。

　1814年8月にメリーランド州に上陸したイギリス軍は、ためらうことなく内陸へ進軍していった。合衆国指導部の対応ぶりは、驚くほど無能だった。ジェームズ・マディソン大統領は切れ者で、アメリカ建国の父のひとりとされているが、戦争の指導者には不向きだった。軍司令部をまともに制御することもできず、カナダでの戦いに惨敗したあとで、この新たなイギリスの脅威を前に、いまや、なすすべもなかった。続く一連の出来事は、アメリカ軍事史において最も恥ずべき章のひとつとなる。赤い上着を着たイギリスの兵士たちは、ナポレオンとの戦いで鍛え抜かれていた。一方、

ワシントンを守っていたアメリカ軍は、士気は高いが未熟だったので、あっさりと打ち負かされた。ものの数時間で首都の主要な建物は炎に包まれた。マディソン大統領と妻ドリーは、ポトマック川を渡って逃げた。このとき、気骨ある妻は大統領官邸からの脱出をあえて遅らせ、アメリカ初代大統領ジョージ・ワシントンの立派な肖像画を救った。イギリス軍のロバート・ロス少将とジョージ・コックバーン海軍中将が官邸に入ってみると、そこはもぬけの殻だった。テーブルの上にあった大統領の食事は、まだ温かかったという。イギリス軍将校たちはさっさと料理をたいらげると、テーブルに椅子を積み上げて建物に火をつけた。連邦議会、国務省、財務省にも火が放たれた。2001年9月11日の同時多発テロ事件を除けば、アメリカの首都に国外からの攻撃が及んだのは、このときが唯一である。

イギリス軍の情け容赦のない攻撃は、とどまるところを知らないようだった。9月12日、軍はボルティモアの数キロメートル手前に上陸し、海軍の艦隊は標的であるマックヘンリ砦に到達した。港の入り口を守っている砦だ。一方、ボルティモアの勇

左｜マックヘンリ砦に実際に掲げられた星条旗。裁縫師のメアリ・ピッカースギルが作ったこの旗には、15の州を表す星がついている。ワシントンのスミソニアン博物館所蔵。

23｜フランシス・スコット・キーの「星条旗」

猛な司令官、サム・スミス将軍は、この街にワシントンの二の舞を演じさせるつもりはなかった。マックヘンリ砦がその鍵を握っている。銃と弾薬が補充された。砦の隊長ジョージ・アーミステッドは作らせておいた大きな旗——9メートル×12メートルの星条旗——を、砦の頂上高く掲げた。ボルティモアの抵抗を示すこの旗を大砲やロケット弾から守るために、兵士たちは手を尽くした。その夜のイギリス艦隊からの攻撃は、激しくなることが予想された。

この日、若きアメリカ人弁護士フランシス・スコット・キーは捕虜解放の交渉にあたるべく、近くに停泊していたイギリス軍艦を訪れていた。夕方になると、マックヘンリ砦への猛攻が始まった。キーは茫然とした。砲弾が砦の壁を打ち、ロケット弾や迫撃砲が火を噴きながら弧を描いて飛び、包囲された守備隊に降りそそぐ。おそろしい夜が明けたとき、彼は考えた。間違いなく、守備隊は降伏して、アメリカの旗はイギリスの旗に取って代わられているだろう。ところが、朝もやのむこうにみえる光景に、彼は驚き喜びながら目をこすった。感動で身が震える。崩れかけたマックヘンリ砦の上には、星条旗が誇らしげにはためいていたのだ。イギリス軍は攻撃に失敗し、撤退しはじめていた。彼は紙切れを手にすると、急いで詩を書きつけた。「おお、みえるだろうか？　夜明けの光のなか

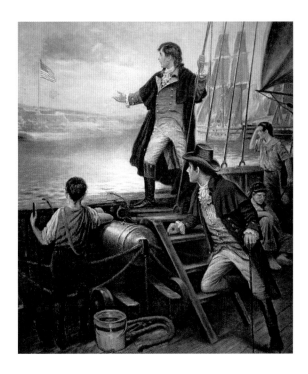

上｜若き弁護士であり詩人であるフランシス・スコット・キーがみたのは、夜明けの砦にはためく星条旗だった。その感動を彼は書きとめた。「おお、みえるだろうか？　夜明けの光のなかに……」

に。たそがれの最後の輝きを浴びて、誇らしげにはためいていたわれらの旗……おお、星条旗はいまも風にたなびく。自由の地、勇者の故郷に」

その晩、キーは友人に詩をみせた。いたく感動した友人は、ぜひその詩を清書して発表するようにといった。まもなく詩に曲がつけられた。そして、イギリス軍のボルティモア攻略失敗をきっかけに書かれたこの歌は、まる1世紀ののち、アメリカの国歌となった。

ナポレオンの
1815年3月1日の宣言

この宣言をきっかけに、歴史上まれにみるドラマティックな出来事が始まった。ロシア遠征からの撤退を
きっかけに失脚の悲劇に見舞われたナポレオンが、なりふりかまわず帝位の奪回を試みたのだ。それは
歴史に名を残した軍司令官にとって、最後の大きな賭けだった。この試みは1815年6月18日、ワーテル
ローの戦いでの惨敗で終わる。「フランスの人民よ、」と宣言は高らかに呼びかける。「わたしはあなたが
たのもとにもどってきた。わたしの、そしてあなたがたの権利をとりもどすために」

フランスにもどるというこの大胆な宣言を
行う5日前、ナポレオン・ボナパルトは国
外追放の身で、エルバ島でイギリスの監視
下にあった。その1年前、15年間にわたり
ヨーロッパのほぼすべての国に勝利を続け
てきたナポレオンは、ついに諸国連合軍に
敗れ、失脚。そしてフランスのわずか240
キロメートル南に位置するエルバ島に追放
され、イギリスのニール・キャンベル大佐
の監視下に置かれたが、かなり自由に行動
することができた。1815年2月末、キャン
ベルはイタリアで医師の診察を受けるため
に（実際には愛人のもとを訪れていたという噂もあ
るが）エルバ島を数日間離れるという判断
ミスを犯した。2月28日にもどってきた大
佐は、ナポレオンがイギリスの船にみえる
よう塗り替えさせたブリグ型帆船「アンコ
ンスタン」号率いる小型船団で脱出したと
知らされる。ナポレオンとともに島にいた
千人強のフランス人従者と兵士も一緒だっ
た。キャンベルは追っ手を向かわせたが間
に合わなかった。ナポレオンは3月1日、フ

ランス、リヴィエラ地方のアンティーブ近
くにある港町ゴルフ＝ジュアンに上陸した。
　ナポレオンの行動は危険な賭けだった。
フランスはすでに王政にもどっていた。ル
イ18世が王位に就き、戦争で疲弊していた
国民は、久しぶりの平和な1年を享受して
いた。しかし国王には、かつてのブルボン
王朝の失敗から学び、フランス社会を改革
しようという意気ごみがほとんどみられな
かった。そしてなによりも、ナポレオンに
忠実だった大陸軍の大半を解散させるとい
う過ちを犯した。エルバ島を訪れた元秘書
に、ナポレオンは、兵たちは今も自分を愛
しているだろうかとたずねた。「はい。以
前よりもずっと、といってもいいくらいで
す」と元秘書は答えた。この答えが決定的
な要因となり、ナポレオンは大胆な行動に
出る。
　フランス上陸後すぐに、ナポレオンはこ
の宣言をできるだけ広範囲に伝えるよう指
示した。明らかに帝国軍の元兵士たちに訴
えることを目的とした文書は、1年前、敵

PROCLAMATION.

Au Golfe-Juan, le 1.er Mars 1815.

NAPOLÉON,

Par la grace de Dieu et les Constitutions de l'État,
Empereur des Français, *etc. etc. etc.*

AU PEUPLE FRANÇAIS.

FRANÇAIS,

La défection du duc de Castiglione livra Lyon sans défense à nos ennemis : l'armée dont je lui avais confié le commandement était, par le nombre de ses bataillons, la bravoure et le patriotisme des troupes qui la composaient, à même de battre le corps d'armée Autrichien qui lui était opposé, et d'arriver sur les derrières du flanc gauche de l'armée ennemie qui menaçait Paris.

Les victoires de Champ-Aubert, de Montmirail, de Château-Thierry, de Vauchamp, de Mormans, de Montereau, de Craone, de Reims, d'Arcy-sur-Aube et de saint-Dizier, l'insurrection des braves paysans de la Lorraine, de la Champagne, de l'Alsace, de la Franche-Comté et de la Bourgogne, et la position que j'avais prise sur les derrières de l'armée ennemie en la séparant de ses magasins, de ses parcs de réserve, de ses convois et de tous ses équipages, l'avaient placée dans une situation désespérée. Les Français ne furent jamais sur le point d'être plus puissans ; et l'élite de l'armée ennemie était perdue sans ressource ; elle eût trouvé son tombeau dans ces vastes contrées qu'elle avait si impitoyablement saccagées, lorsque la trahison du duc de Raguse livra la Capitale et désorganisa l'armée. La conduite inattendue de ces deux généraux qui trahirent à la fois leur patrie, leur prince et leur bienfaiteur, changea le destin de la guerre. La situation désastreuse de l'ennemi était telle, qu'à la fin de l'affaire qui eut lieu devant Paris, il était sans munitions, par la séparation de ses parcs de réserve.

Dans ces nouvelles et grandes circonstances, mon cœur fut déchiré ; mais mon âme resta inébranlable. Je ne consultai que l'intérêt de la patrie : je m'exilai sur un rocher au milieu des mers ; ma vie vous était et devait encore vous être utile, je ne permis pas que le grand nombre de citoyens qui voulaient m'accompagner partageassent mon sort ; je crus leur présence utile à la france, et je n'emmenai avec moi qu'une poignée de braves, nécessaires à ma garde.

Elevé au Trône par votre choix, tout ce qui a été fait sans vous est illégitime. Depuis vingt-cinq ans la France a de nouveaux intérêts, de nouvelles institutions,

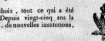

une nouvelle gloire qui ne peuvent être garantis que par un Gouvernement national et par une dynastie née dans ces nouvelles circonstances. Un prince qui règnerait sur vous, qui serait assis sur mon trône par la force des mêmes armées qui ont ravagé notre territoire, chercherait en vain à s'étayer des principes du droit féodal, il ne pourrait assurer l'honneur et les droits que d'un petit nombre d'individus ennemis du peuple qui depuis vingt-cinq ans les a condamnés dans toutes nos assemblées nationales. Votre tranquilité intérieure et votre considération extérieure seraient perdues à jamais.

Français ! dans mon exil, j'ai entendu vos plaintes et vos vœux ; vous réclamez ce Gouvernement de votre choix qui seul est légitime. Vous accusiez mon long sommeil, vous me reprochiez de sacrifier à mon repos les grands intérêts de la patrie.

J'ai traversé les mers au milieu des périls de toute espèce ; j'arrive parmi vous, reprendre mes droits qui sont les vôtres. Tout ce que elle ont pu faire dans cet fait, écrit ou dit depuis la prise de Paris, je l'ignorerai toujours ; cela n'influera en rien sur le souvenir que je conserve des services importants qu'ils ont rendus, car il est aussi d'événements d'une telle nature qu'ils sont au-dessus de l'organisation humaine.

Français ! Il n'est aucune nation, quelque petite qu'elle soit, qui n'ait eu le droit et ne se soit soustraite au déshonneur d'obéir à un Prince imposé par un ennemi momentanément victorieux. Lorsque Charles VII rentra à Paris et renversa le trône éphémère de Henri VI, il reconnut tenir son trône de la vaillance de ses braves et non d'un prince régent d'Angleterre.

C'est aussi à vous seuls, et aux braves de l'armée, que je fais et ferai toujours gloire de tout devoir.

Signé NAPOLÉON.

Par l'Empereur :
Le grand maréchal faisant fonctions de Major-général de la Grande Armée.
signé, Comte BERTRAND.

A VALENCIENNES, chez H. J. PRIGNET, Imprimeur des Administrations, etc, 1815.

上｜ナポレオンの宣言。フランス国民に向けて、人望のないブルボン王朝の国王ルイ18世を退位させると誓ったもの。自分がもどったのは「みずからの権利、すなわち国民の権利をとりもどすため」だとしている。

上｜ワーテルローの戦いのさなか、愛馬コペンハーゲンにまたがり、ナポレオン軍を迎え撃とうと兵を結集させるウェリントン公。歩兵たちは方陣を組み、フランス軍の度重なる攻撃に耐えた。

のパリ侵攻に最後まで抵抗した軍の功績を思い出させようとしていた。宣言の最初の3分の1は、1814年3月のパリ陥落を許したのは軍ではなく、カスティリオーネ公オージュロー元帥とラグーザ公マルモン元帥の「怠慢」と「裏切り」のせいであるという断罪にあてられた。それからフランス国民に向けて、ルイ18世の政権は古い封建制度の復活を目指すものであり、国内の平和と国外からの尊敬は「永遠に失われた」と主張した。そして「国民と勇敢な兵士たちに対してのみ、わたしは誇りをもってあらゆる務めを果たし、これからも果たし続ける」と約束して結んでいる。

　この力強い主張が功を奏したに違いな

い。ナポレオンはその後最高権力にみごとに返り咲いた。フランスでは現在でもナポレオンがフランス南岸からパリまで20日間かけて進んだ道を「ナポレオン街道」と呼んでいる。ナポレオンを止めようとする王党派もいたが、失敗した。なかでもグルノーブル近郊で、いかなる手段を使ってでも阻めと命令を受けた大部隊が立ちふさがった話は有名だ。ナポレオンは攻撃しようとする兵たちの前に進み出て、胸をはだけ、「そなたたちのなかに、みずからの皇帝を

撃ちたい者がいるのなら、撃つがよい」と叫んだ。撃つ者はいなかった。大部隊はいっせいに駆けより、ナポレオンを抱きしめた。ナポレオンを鉄の檻に入れてパリにつれ帰ると息巻いていたネイ元帥までが、かつての戦友を前にすると、その魅力にあらがえず、忠誠を誓った。

ナポレオンは3月20日にパリにもどるとすぐさま、1年前に戦勝国が開催したウィーン会議の無効を宣言した。ナポレオン復権の是非についてはフランスでも意見が分かれ、再び諸国連合軍と戦争になるとだれもが危惧した。しかしナポレオンにとって心強かったのは、大陸軍がいまだに血気盛んなことだった。戦場で先頭に立ち、自分たちを鼓舞していたナポレオンの姿を思い出した兵士が、10万もの大軍となって北に向かい、まだ戦いの準備の整っていない諸国連合軍に挑んだ。それは無謀

な企てだった。たしかにイギリス軍のウェリントン公とプロイセン軍のブリュッヘル元帥をベルギーで急襲し、6月16日に退却を余儀なくさせたが、2日後のワーテルローの戦いで敗北した。たとえワーテルローで負けていなくても、ロシア軍とオーストリア軍が東から援軍に向かっていたため、とうてい兵の数でかなわなかっただろう。

1815年2月25日にみごと脱出に成功した男は、数週間のうちに降伏し、囚人としてセントヘレナ島に流され、二度とその地から離れることはできなかった。そして6年後、華々しくも致命的となった最後の作戦の失敗を、自分以外のすべての人のせいにしながら死んでいった。

下｜イギリス海軍の戦艦ベレロフォン号で、興味津々の将校たちに監視されながら、ナポレオンはイギリスの領海を運ばれ、はるかセントヘレナ島で流刑の身となった。

ブルネルの手紙（1840年10月12日）

イギリスの偉大なエンジニア、イザムバード・キングダム・ブルネルがしたためたこの手紙は、船船工学の革命を寿いでいる。「アルキメデス号」という名の船にほどこされた装備をみて、自分が新しく建造する蒸気船グレート・ブリテン号は外輪よりスクリュープロペラで進むべきだと納得したと書いている。1840年のこの瞬間、プロペラの時代が幕を開けた。

ブルネルは産業革命時代の巨人で、その人物も業績もスケールが大きかった。魅力的で、派手な性格で、みずからの野心的で壮大な工学プロジェクトについて語っては人々を感動させ、支援をとりつけていた。鉄道の分野では先駆的な改良を行い、列車を快適な陸上交通手段へと一変させた。海上交通の分野では3艘の大型蒸気船を建造し、海の旅の新しい時代を拓いた。

1840年10月に書かれたこの手紙は、ブルネルの革新的な才能を如実に示している。このときブルネルはすでに大西洋横断のための初の定期蒸気船グレート・ウェスタン号を進水させていた。2,300トンの外輪式で、1837年の進水当時は世界最大の客船だった。優美な輪郭、1本の煙突、そして4本の背の高いマストを備えた姿は壮観だっただろう。しかしまもなくブルネルは、外輪ではなくスクリュープロペラという異なる推進システムを用いた蒸気船が進水したことを知る。それがこの手紙に書かれているアルキメデス号だ。ブルネルによれば、アルキメデス号で行われた実験で、「スク

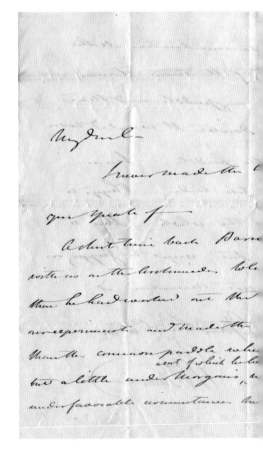

リュープロペラの利点が明らかに」なり、「現在普及している外輪よりすぐれている」ことが実証された。この船舶工学の歴史において非常に画期的な進展は、ブルネルにとっても重要なタイミングで起きた。ちょうどグレート・ウェスタン号の姉妹船を計画中だったのだ。世界最大、しかも初の鉄船だ。新しい蒸気船グレート・ブリテン号はグレート・ウェスタン号より全長が27メートル長く、排水量が1,300トン大きかった。当初の計画では推進に外輪を装備することになっていたが、実験によってプ

ロペラのほうがすぐれていることが明らかになった。プロペラなら軽く、コンパクトで——船が傾くと海面から出てしまう外輪と違って——海面のずっと下、船尾中央にしっかり固定されている。

問題は、グレート・ブリテン号のために、外輪式エンジンの製造がすでに始まっていたことだった。大型船の建造は地元の出資者からの投資でまかなわれており、完成が遅れれば予算がふくらんで、利益を期待している出資者から不評を買う。ブルネルは賭けに出た。ブリストルですでに1年

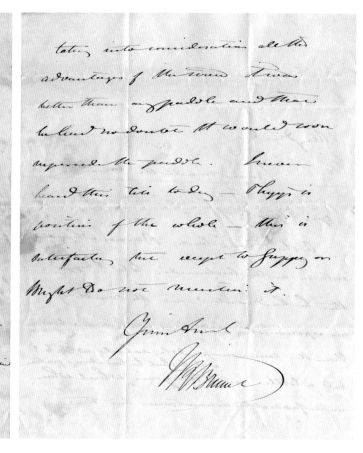

左｜ブルネルの手紙は、プロペラスクリューが最高の推進システムであると結論づけ、その革新性に賭ける決意を示している。2枚目の1行目にはこう書かれている。「スクリューのすべての利点を考慮すると、いかなる外輪よりもすぐれているといえる……」

半前から製造が行われていた外輪式のエンジンをキャンセルし、代わりに大型のプロペラとプロペラシャフト、そしてエンジンの設計を依頼し、とりつけることにした。それがグレート・ブリテン号の就航が遅れる多くの原因のひとつとなった。しかし、ひとたび航行が始まると、その圧倒的な技術力が立証された。スクリューの推進力で最大速度は11ノット（グレート・ウェスタン号より3ノット速い）、300人の乗客（グレート・ウェスタン号の2倍）と120人の乗組員を運ぶことができた。

　進水が遅れたため、グレート・ブリテン号の就航は1845年夏にずれこんだ。ニューヨークでは大きな話題となり、ある懐疑的な科学雑誌が「この立派な船の構造や仕組みに異論の余地があるとすれば、それはスクリュープロペラという推進方式を採用している点だ」と指摘し、近いうちにプロペラが外輪につけかえられても不思議ではないと述べた。その雑誌は間違っていた。ブルネルが正しかった。グレート・ブリテン号は、リヴァプールとニューヨーク、のちにはオーストラリアとを往復した長い歴史のなかで数多くの災難に見舞われたが、外輪がつけられることは一度もなかった。

ブルネルは成功もしたが失敗もした。父親のマーク・ブルネルとともにテムズ川の下に掘ったトンネルに水が入り、作業員に死者が出るという惨事にもあった。ブルネル自身もその工事で負傷した。グレート・ウェスタン鉄道の主任技師となり、立派な橋も架けたが、広軌の鉄道網を建設するという野心的な計画は、ほかの鉄道会社が狭軌から変えようとしなかったため頓挫した。サウス・デヴォン鉄道に気送管をはりめぐらし、「大気圧」で推進させようという計画は、実験したもののうまく機能せず、またしてもとりやめになった。

先駆的な蒸気船も、トラブルに見舞われることはあった。グレート・ブリテン号は、はじめてニューヨークに航海した1年後の1846年に北アイルランド沖で座礁した。1886年には経年劣化が進み、火災と南洋の風雨による損傷もあったため、フォークランド諸島に捨てられた。1970年に心ある後援者たちの寄付により、巨大な浮揚函に載せられて、かつての母港ブリストルに帰還した。現在は豪華な内装も復元され、美しい姿で展示されている。

イザムバード・キングダム・ブルネルは今でも多くの技術者に刺激を与え、そうでない人たちにも独創性の真髄をみせている。彼はその大きな賭けと壮大な想像力で、多くの素晴らしい記念碑を残してくれたのだ。

下｜ブルネルが建造したプロペラ推進式の蒸気船グレート・ブリテン号は、ブリストルで展示されている。このドライドックは、1843年の進水前に、この船が建造された場所である。

『共産党宣言』

近代の政治的文書としては最も広く読まれ、影響力のある『共産党宣言』は、急進的なドイツ人哲学者カール・マルクスとフリードリヒ・エンゲルスによって1848年に世に出た。労働者の革命によってもたらされる階級のない社会というビジョンは、新たな政治運動の基礎となり、歴史の道筋を変えた。

『共産党宣言』が書かれた時代、ヨーロッパは政治的にも経済的にも激動のさなかにあった。「1848年革命」と呼ばれるようになる暴動が、ドイツからイタリア半島まで、50か国で起こった。理由はいくつもあっ

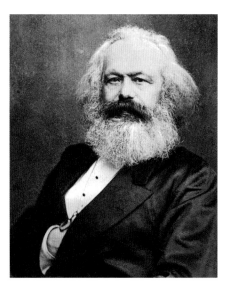

上｜57歳のときのカール・マルクス。フリードリヒ・エンゲルスは、この写真にはマルクスの「物静かで、自信にあふれた、堂々とした落ち着き」がよく表れているといった。マルクスの死後、エンゲルスはこの写真を千枚以上焼き増しして、世界じゅうの社会主義者に送った。

た。ひとつは産業の低迷による大量の失業者。ウィーンだけで1万人の労働者が解雇された。アイルランドはジャガイモ飢饉に苦しんでいたが、それは1845年から1847年にかけて西ヨーロッパ全体を襲った大規模な不作の一部にすぎなかった。都市には人があふれ、貧困がはびこり、参政権は上流階級にしか与えられていないことが多かった。中産階級や労働者階級の人々が街で抗議の声をあげ、新しい憲法と国民の声に耳を傾ける政府を求めた。パリでの武装蜂起により国王ルイ・フィリップは退位を余儀なくされた。ロンドンでの暴動後にはヴィクトリア女王が安全確保のためワイト島に避難した。カール・マルクスとフリードリヒ・エンゲルスがはじめたばかりの共産主義運動の思想を広めるには、理想的な状況だった。

マルクスは、革命的社会主義思想のため祖国プロイセンから追放され、パリに、さらにはブリュッセルに移住していた。裕福なドイツ人の父親がイギリスのマンチェスターに工場を所有していたエンゲルスは、マルクスを知性の面だけでなく、経済の面

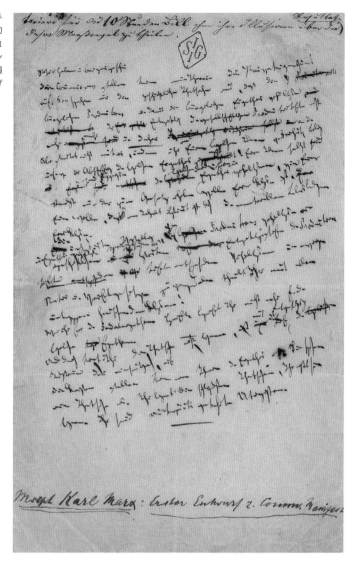

でも支えた。ふたりの哲学者は新たに結成
したロンドンの共産主義者同盟の仲間たち
に、共産主義思想の要点をまとめた小冊子
を書かせてほしいと頼んだ。ほとんどはす
でに議論された思想だったが、それをはじ
めて文章にまとめたのが『共産党宣言』だっ
た。

マルクスが手書きした原稿はわずか23
ページの長さだが、歴史が、そしてひいて
は未来がどのように展開するのかという著
者の信念を威厳のある文体で述べている。
「これまでの社会の歴史は、すべて階級闘

上｜ドイツ出身の社会主義思想家フリードリヒ・エンゲルスは、『共産党宣言』の共著者。紡績業を営む裕福な家庭の出で、マルクスとその家族を経済的に支えた。

争の歴史であった」という印象的な文章で、第1章が始まる。そして古代文明の自由民と奴隷の闘争から、産業革命時代の「ブルジョワジー」（生産手段を持つ資本家）と「プロレタリア」（労働力を提供する人々）の闘争までをたどっていく。意外にも資本主義に対して好意的で、ブルジョワジーは「エジプトのピラミッド、ローマの水道、ゴシック建築の大聖堂をはるかにしのぐ偉業」を成し遂げたと称えている。しかし、急速な工業化の問題として、ブルジョワジーが労働者を搾取することによってみずからの「墓穴を掘っている」と、マルクスとエンゲルスは指摘する。恨みを持つ労働者がどんどん増え、いずれは自分たちの力に気づいて暴力革命を起こすからだ。マルクスとエンゲルスはブルジョワジーを「闇の世界の力を呪文で呼び出しておきながら、制御できなくなってしまった魔法使い」に

なぞらえている。

宣言はさらに、共産主義に刺激を受けた労働者が協力し、階級のない平等な社会を築くさまを描く。そしてなによりも、私有財産を廃止し、児童労働をやめさせ、交通機関を国有化し、公教育を無償にするべきだと主張する。現代からみれば手ぬるいとさえ感じられる要求だ。マルクスとエンゲルスは共産主義こそが真に進むべき道であり、そのほかの社会主義はすべて見当違いだと主張する。そしてドイツで起きている革命がプロレタリアの革命として広がり、すべての人が平等な、調和のとれた世界になっていくだろうと大胆に予言する。現状がどのようなものに置き換わるのか、具体的にはっきり示されていないのは、マルクスとエンゲルスが観念的なことは書くが、共産主義政府を樹立するための基本的な構想は提示しない理論家だからだ。宣言の結びの言葉として大文字で書かれた「世界の労働者よ、団結せよ」という言葉は、その後何十年もくり返された。

ドイツが共産主義革命の先頭に立つというマルクスとエンゲルスの予想ははずれた。1848年革命は、すべて失敗した。改革を行った政府もあったが、中産階級と労働者階級の活動家の団結は崩れ、治安部隊が政府を支えた。その後20年ほど、宣言はほとんど顧みられなかったが、1872年、ドイツの急進的な社会民主党の指導者たちが普仏戦争への反対を主張し、反逆罪に問われたときに、思いがけず脚光を浴びた。裁判の際、検察官が証拠として『共産党宣言』を引用したのだ。それをきっかけに、ドイツで『共産党宣言』の合法的出版が実現し、数か月のうちに6か国語で9版以上が出版され

た。その後40年で社会主義が根づくにつれ、版の数は数百にのぼった。

マルクス没後34年の1917年、ウラジーミル・レーニンらのボリシェヴィキ派の革命により、ロシアは世界初の社会主義国、ソヴィエト社会主義共和国連邦になった。『共産党宣言』は一般的な読み物として、世代を超えて読み継がれた。20世紀のある時点では、世界人口の半分が共産主義政府の統治下にあった。しかし、国家の力が弱まるというマルクスの予言とは裏腹に、政権が非常に権威主義的で階級性の強いものと

なり、それが共産主義的な政治体制への不信感につながった。『共産党宣言』そのものは、時をへても読まれ続けた。グローバル化や経済危機、貧富の格差の拡大といった問題への思い切ったアプローチは、1848年と同じように、現在でも通用する。

下｜1848年3月18日、ベルリンのアレクサンダー広場で、バリケードの向こうにいる抗議運動の参加者を攻撃するプロイセン軍の兵士たち。参加者たちは王の軍隊に向かって近くの建物の窓から発砲し、敷石を投げた。

27

フットボールのノートブック

一見なんの変哲もないこのノートは、スポーツ史に残る重要な文書だ。これは、1863年のイングランドサッカー協会の議事録。一連の会議の内容が記録されている。その会議で、フットボール（サッカー）の試合の共通ルールがはじめて策定された。これはふたつの理由から、サッカー史で記念すべき瞬間となる。ひとつは、ほぼ間違いなく現代最高の人気を誇るスポーツの始まりであること。もうひとつは、サッカー運営団体イングランドサッカー協会（FA）が発足したことだ。

1863年10月26日。ロンドンのコヴェントガーデンの近くにあった酒場、フリーメイソンズ・タバーンに男たちが続々と集まっていた。彼らは、あるスポーツについて、当時最大の難問をなんとか解決しようとしていた。当時、フットボールのチームは、試合をするたびにもめていた。共通ルールがなかったからである。会合は6回にわたり、ほとんど毎回意見が割れた。最終回である6回目の12月8日に、13項目のルールが制定された。これが、現在のフットボール、あるいはサッカーの始まりだ。

　対戦相手の陣地にボールを蹴り入れる遊戯は、イギリスでは何世紀も前から親しまれていた。この競技を表す「footeball フットボール」という言葉がはじめて使われたのは、1424年。しかも、これを禁止する法律に登場した。近隣の地域に住む男たちは徒党を組み、「マス（集団）」あるいは「モブ（暴徒）」フットボールをした。豚の膀胱を町の端からもう片方の端まで蹴って競い、勝つためなら膀胱でも人でも、殴ったり蹴ったりしてもかまわなかった。ヘンリー8世はフットボール用の長靴まで持っていた。それでもさすがにこの王は、1540年にフットボール禁止令を出した。フットボールは

暴動のきっかけになるからだ。「フットボールは野蛮な鬱憤ばらしで、過激な暴力にほかならない」と当時の識者は批判した。ケンブリッジ大学の記録によると、1579年に行われた大学生と町の男たちとの対戦が、みっともないことに乱闘に終わった。以来、学生は大学のグラウンド以外でプレイするのを禁じられた。19世紀になりようやく、共通ルールを設ける気運が高まった。イートン校やラグビー校といった上流階級の子どもが通う寄宿学校の対抗戦では、学校によってルールが違うため混乱が起きた。たとえばラグビー校はボールを手で扱うこと全般を許し、イートン校は脚で蹴ることにこだわった。1848年、ケンブリッジ大学に5つの学校の代表が集まり、共通ルールを起草した（これは現存していない）。この5校にだけ適用されるルールだ。これと同じように、1858年にシェフィールド・フットボールクラブ（FC）が制定したルールを採用していたのも、イングランド北部の一部のFCだけだった。

　この状況を打破すべく立ち上がったのは、サッカーを愛する弁護士、エベネーザー・コップ・モーレイだ。ロンドン郊外の緑豊かな町バーンズに住んでいたモーレイは、友人とフットボールクラブ（FC）を作った。チームによってルールが違うことに業を煮やした彼は、1863年に人気スポーツ紙『ベルズライフ』に寄稿した。「クリケットの試合には統一ルールがある。ならば、フットボールにもあってもよいのでは？」。この手紙が、10月26日に行われた歴史に残る会合のきっかけとなった。フリーメイソンズ・タバーンに現れたモーレイはノートに議事をとり、几帳面な文字でこう記している。ロンドンおよびロンドン近郊の12のFC代表者が「競技規則のための行動指針の制定を目指す協会設立のために」、一堂に会したのだと。このグループは「イングランドサッカー協会」と名乗り、現在では一般に「FA」と呼ばれ、親しまれている。この議事録によると、この団体の基本的な考え方には、1848年にケンブリッジで合意したルールも取り入れられている。ほかには、試合中のふたつの行為について議論が白熱したと記されている。ひとつはボールに手をふれるプレイ、もうひとつはハッキング（敵のすねを蹴る）だ。ブラックヒースFCの代表者は、選手がボールを

The maximum **length of the ground** shall be 200 yards, the maximum **breadth** shall be 100 yards, the length and breadth shall be marked off with flags and the **goal** shall be defined by two upright posts, 8 yards apart, without any ta[p] or bar across them.

II.

The Game shall be commenced by a **place kick** from the centre [of] the ground by the side winning the toss, the other side shall not approach within 10 yard[s] of the ball until it is kicked off. After a goal is won the losing side shall be entitled [to] kick off.

III.

The two sides shall change goals after each goal is won.

IV.

A goal shall be won when the ball passes over the space between the goal pos[ts] (at whatever height), not being thrown, knocked on, or carried.

V.

When the ball is in **touch** the first player who touches it shall kick or throw it fro[m] the point on the boundary line where it left the ground, in a direction at right angles wit[h] the boundary line.

VI.

A player shall be **out of play** immediately he is in front of the ball, and mu[st] return behind the ball as soon as possible. If the ball is kicked past a player by his ow[n] side, he shall not touch or kick it or advance until one of the other side has first kicke[d] it or one of his own side on a level with or in front of him has been able to kick it.

VII.

In case the ball goes behind the goal line, if a player on the side to whom th[e] goal belongs first touches the ball, one of his side shall be entitled to a free kick from th[e] goal line at the point opposite the place where the ball shall be touched. If a player [of] the opposite side first touches the ball, one of his side shall be entitled to a free kick fro[m] a point 15 yards outside the goal line, opposite the place where the ball is touched.

VIII.

If a player makes a **fair catch** he shall be entitled to a **free kick**, provided [he] claims it by making a mark with his heel at once; and in order to take such kick he ma[y] go as far back as he pleases, and no player on the opposite side shall advance beyond h[is] mark until he has kicked.

IX.

A player shall be entitled to run with the ball towards his adversaries' goal if h[e] makes a fair catch, or catches the ball on the first bound; but in the case of a fair catch, [if] he makes his mark, he shall not then run.

X.

If any player shall run with the ball towards his adversaries' goal, any player on th[e] opposite side shall be at liberty to charge, hold, trip, or hack him, or to wrest the ball fro[m] him; but no player shall be held and hacked at the same time.

左｜議事録に残っている、全13項目のうち10項目のルールの草案。ボールを持って走ること、ボールにふれること、敵をハッキングすることの可否について議論が白熱し、それに基づいて手直しして最終版を作った。

持って走ることも、ハッキングも、許可すべきだと主張した。この意見が却下されると、彼は退出した。ブラックヒースはのちに、新しいグループを創設する。それがイングランドラグビー協会だ。

モーレイが1863年に記したイングランドサッカー協会議事録には、12月8日に承認された13のルールが列挙されている。読み物としても、なかなか興味深い。ここではフィールドの長さを約183メートル、最大幅は約91メートル［現在ワールドカップやオリンピックでは約105×68メートル］、約7メートル離して立てたゴールポストをゴールと定め

ている。選手は手でボールをキャッチしても反則にはならないが、ボールを持って走ったり、投げたりしてはならない。フィールドでのあからさまな暴力行為を減らすために13番目のルールにはこう書かれている。「ブーツの靴底、またはかかとに、突き出たクギや、鉄の板、あるいはガタパーチャ［天然ゴムの木の樹脂］を装着してはならない」

それから数年の間に、ルールはしばしば加筆修正された。ゴールキックは1869年に、コーナーキックはその3年後に加えられた。審判がはじめて登場したのは1871年

だ。ネットとクロスバー（ゴール最上部に渡された横棒）が、ゴールポストに加えられた。ペナルティーキックが1891年まで導入されなかったのは、フットボールが「いんちきなど決してしない紳士が嗜む」スポーツだとされていたからだ。

　現在、世界200か国でフットボール（サッカー）が親しまれているのをみれば、この試合が人々を熱狂させることがよくわかる。もうひとつ、こういうときにこそ引用したくなるみごとなセリフがある。これを述べたのは、サッカー界のレジェンドであり、1970年代にリバプールFCの監督も務めたビル・シャンクリーだ。「サッカーは生きるか死ぬかにかかわる問題だという。だが、これは間違っている。サッカーのほうが、ずっとずっと、大事なんだ」

『種の起源』

チャールズ・ダーウィンが唱えた自然選択による進化論は、人類の歴史において最も重要な考え方のひとつだ。「適者生存」はじゅうぶんな裏づけにもとづいた考察で、科学、哲学、神学の方向性を大きく変えた。『種の起源』の最初の草稿が完成したのは、1842年。しかし、当時の人々は、すべての生命を作ったのは自然ではなく、神であると信じていた。その考えを覆すおそれから、ダーウィンはこの本を17年間出版しなかった。

1837年、28歳のチャールズ・ダーウィンは、机にむかって簡単な樹のスケッチを描いた。これはのちに、進化についての彼の革命的な理論を表すシンボルとなる。木の枝は生まれつつある新しい種を表す。絶滅する種もあれば、生き残る種もわずかにある。この木が描かれたのは、イギリス軍艦ビーグル号での5年の旅が終わってからのことだ。軍事的かつ科学的な探検をするこのビーグル号に乗って、若くて熱心な博物学者は南米やそのほかの大陸を旅してまわった。それは、彼の世界観を大きく変えた旅だった。

ダーウィンは父や祖父のような医者になるはずだった。しかし血をみるのが大嫌いだったので、1年半ほどで医学部を辞めた。その後、英国国教会の聖職者になるためケンブリッジ大学に入り直したが、神学を学ぶよりも、昆虫を採集してそれぞれの個体のわずかな違いを調べることに熱中した。そんな彼に、教授のひとりが「ジェントルマン・ナチュラリスト」［艦長の話し相手

兼博物学者］としてビーグル号の乗員になるように勧める。1831年、ダーウィンは出発した。船酔いに悩まされながらも、機会があるごとに船を降りて探検し、調査し、収集を行った。驚いたことに、はるか昔に絶滅した動物たちの化石は、現在生きている種にとてもよく似ていた。タコやトカゲや鳥などの生物の特徴を観察すると、どの生物も生育環境にしたがって形を変えていた。彼は現地で出会った人たちの人種間の違いについても研究した。いろいろな生物を観察していくうちに、ダーウィンは、単一の生物があらゆる種類の生物に枝分かれしていったと信じるようになった。

イギリスにもどったダーウィンは、自分の発見を何冊ものノートを使ってまとめ、考えの裏づけとなる証拠を集めていった。1842年、航海から帰って6年がたった頃、ダーウィンは論文の概要を完成させた。しかしさまざまな理由から、その後17年間『種の起源』を出版しなかった。父の死、かわいがっていた娘の死、自分の説を裏づけ

る証拠をもっと集めたいという思い。そしてなによりも、万物は神の手になるという強く信じられている宗教的な考えに異を唱えると、自分と家族が悪くいわれる心配があった。ダーウィンは自分が危険な領域に足を踏み入れつつあると気づいていた。1844年には、友人に宛てた手紙のなかで、種の変化する能力について論文を書くのは「人を殺したと自白するようなものだ」と打ち明けている。

　もし、知り合いの博物学者、アルフレッド・ラッセル・ウォレスの発見がなかったら、ダーウィンはもっと多くの裏づけを執拗に求め続けていただろう。1858年、ウォレスから、進化に関する理論の概要について本人の考えをまとめた手紙が届いた。その内容は平静を失うほど自分の理論に似ていたので、ダー

ON

THE ORIGIN OF SPECIES

BY MEANS OF NATURAL SELECTION,

OR THE

PRESERVATION OF FAVOURED RACES IN THE STRUGGLE
FOR LIFE.

By CHARLES DARWIN, M.A.,

FELLOW OF THE ROYAL, GEOLOGICAL, LINNÆAN, ETC., SOCIETIES;
AUTHOR OF ' JOURNAL OF RESEARCHES DURING H. M. S. BEAGLE'S VOYAGE
ROUND THE WORLD.'

LONDON:
JOHN MURRAY, ALBEMARLE STREET.
1859.
P. D. B.

The right of Translation is reserved.

ウィンは本の出版を急ぐことにした。ダーウィンによれば執筆は「生き地獄だった」が、できるだけ多くの人に読んでもらえるように、ごくふつうの文章でやさしい言葉を使い、率直で論理的な議論を展開していった。興味深いことに、初版では「進化」や「適者生存」という言葉は使われていない。これらの言葉が現れるのはもっと後の

版になってからである。しかも、自然界における神の手を否定していない。「おそらく、地球上のすべての有機体は、元をたどればある原始的な形にいきつく——そこに最初の命を吹きこんだのは創造主である」

　こうして『*On the Origin of Species by Means of Natural Selection, or the Preservation of Favoured Races in the Struggle for Life*　自

然選択による種の起源——生存闘争における有利な品種の保存』（正式な題名）は、1859年11月24日に出版された。1,250部すべてが初日に売り切れたが、反応はさまざまだった。ある書評家は、「この本を読んで大笑いした」と書いた。自然選択を「めちゃくちゃの法則」と呼ぶ者もいた。

　進化という考え方を最初に提唱したのはダーウィンではない。しかし、それまでこの考え方をわかりやすくまとめた者はいなかった。ダーウィンの著書は世界の注目を集め、宗教界と科学界が真っ向からぶつかる論争を引き起こした。この論争は1925年に有名なクライマックスを迎える。「スコープスのモンキー裁判」である。アメリカの教師、ジョン・トーマス・スコープスがテネシー州の法律に背いたとして有罪になった。彼はチャールズ・ダーウィンの進

化論を授業で取り上げたのである。テネ
シー州では進化論を教えることを禁じてい
た。旧約聖書の創世記に書かれた内容と食
い違うからだ。この法律が廃止されたの
は、1967年になってからである。

　ダーウィンは残りの人生を、新たに本を
執筆してすごした。また、ベストセラーと
なったこの名著も第6版まで改訂した。文
章に手を加え続け、再考し、修正し、批判
的な質問に答えていった。本のボリューム
は最終的に25パーセント増えた。11か国語
で出版され、ダーウィンはヴィクトリア朝
の大富豪になった。1882年、ダーウィンは
ロンドン南東部の「ダウンハウス」で亡く
なった。そこで暮らしながら研究を続けた
歳月は、40年に及ぶ。「ダウンハウス」は彼
を偲んで大切に保存されていて、一見の価
値がある。なおこの偉大な学者は、ウェス
トミンスター寺院に埋葬されている。

上｜「ダウンハウス」。ダーウィンは家族とともに、40年間こ
こで暮らした。書斎で執筆し、アイデアを求めて敷地内の
「思索の道」を散歩した。
下｜1868年に撮影したダーウィンの小型顔写真。当時、小
さな写真を友人に送ることが流行した。ダーウィンの場合
は、多数の読者向けでもあった。

ゲティスバーグの演説

エイブラハム・リンカンがみずからの手で書き上げた、かの有名なゲティスバーグでの演説。南北戦争の勝敗を決定づけた1863年の戦いの後、彼はこのメモをポケットに入れて、死者を弔う演説を行うために聴衆の前に立った。民主主義の素晴らしさを表現したその言葉は、いまもなお語り継がれる。

偉大な演説は、この不朽の名演説のように、文面は力強く簡潔で、声に出してもメリハリがある。そしてこの歴史的な演説は、アメリカ史に残る重要な場面で行われた。これより4か月半前、1863年7月1日から3日間、ペンシルヴァニア州ゲティスバーグでアメリカ南北戦争の転換点となる

悲惨な戦いがあった。ゲティスバーグに到達したとき、ロバート・E・リー将軍率いる南軍の勢いは最高潮に達していた。リンカン大統領の北軍にチャンセラーズビルで勝利し勢いづいたリーは、敵のふところ深く切りこむことにしたのだ。ゲティスバーグでは激闘が繰り広げられたが、リーの攻撃は失敗に終わった。かつての戦闘の地を歩くと、そこで起こった悲劇的な戦いのエピソードひとつひとつに感慨をおぼえる。死傷者はおよそ5万人。アメリカ史のなかでも最悪の死者を出したこの過酷な戦争は、1865年、南軍の敗北でついに幕を閉じた。

エイブラハム・リンカンが大統領に選出されたのは1860年だ。その後わずか1年のうちに、南部諸州は次々と独立

左｜エイブラハム・リンカン。アメリカ合衆国大統領（1861年3月–1865年4月）。最大の功績は、南北戦争で北軍を勝利に導き、奴隷制度を廃止したことだ。

左・上｜リンカンのゲティスバーグ演説の手書き原稿。秘書のジョン・ニコレイに手渡された。最後の行に以下のように書かれている。「……この国に新たな自由を生み出し、人民の、人民による、人民のための政府が地上から消滅しないようにすべきであります」

を宣言し、合衆国は内戦に突入した。リン
カンは戦争以外に選択肢はないと感じてい
た。この時点での戦争の目的は、当時南部
に広まっていた奴隷制度の廃止のためとい
うより、合衆国の解体を阻止するためだっ
た。「この戦いにおけるわたしの一番の目
的は合衆国を救うことであり、奴隷制の存
続でも廃止でもない」。1862年8月に彼が
語った言葉だ。「奴隷を解放することなく
合衆国を救えるのであれば、わたしはそう
するだろう」。しかし、その数週間後には
もっと態度を硬化させ、1863年1月までに
反乱状態にある州の奴隷解放を命ずると警
告している。1863年の11月にゲティスバー
グ国立戦没者墓地の奉献式に招かれたとき
には、まず間違いなく奴隷制度廃止の決意
を固めていた。

　リンカンの演説の前には、アメリカの有
名な演説家エドワード・エヴァレットがゲ
ティスバーグの戦いについての長い演説を
行った。演説は2時間続いた。一方、リン
カンはたった2分だった。のちにエヴァ
レットはリンカンにあてた手紙のなかで、

「閣下が2分で到達されたこの式典の核心
に、わたしが2時間かけてようやく近づけ
たとうぬぼれることができるなら、うれし
い限りです」と書いている。

　リンカンがゲティスバーグに招かれたの
は、明らかに式典のメインであるエヴァ
レットの演説の後に、「その場にふさわし
いひと言」を述べるためだった。演説をメ
モした紙は折りたたんでポケットに入れて
おいた。その言葉を読み上げると、何度も
拍手が起こった。

　リンカンのこの2分間の演説が与えた衝
撃を想像すると、驚きと気持ちの高ぶりを
感じる。演説はまず、1776年のアメリカ独
立宣言の引用から始まる――「すべての人
は平等につくられています」。皮肉なこと
に、この高尚な宣言文の起草に中心的な役
割を果たしたトマス・ジェファソンは奴隷
を所有していた。しかし、87年後にリンカ
ンが同じ言葉を述べたとき、彼は明らかに
奴隷も含めて考えていた。憲法修正第13条
が議会で承認され、これにリンカンが署名
したのは、ゲティスバーグの戦いから1年

　　　　　　　　　　　　29｜ゲティスバーグの演説

半後のことだ。こうして奴隷制度は最終的に廃止された。

リンカンの主張は印象的だった。このゲティスバーグの死者追悼式を機に、「戦死者たちが命を捧げた大義、民主主義という大義のために『よりいっそうの献身を』」と述べて、この短い演説は山場を迎える。彼は、5世紀前のイギリス人神学者ジョン・ウィクリフやイタリアの偉大な革命家ジュゼッペ・マッツィーニの言葉――「人民の、人民による、人民のための政府」――を借りて、演説を締めくくった。拍手はいつまでも鳴り止まなかった。

リンカンのメッセージは、11月のその日に彼を取り囲んでいた地元の政治家や兵士たちだけでなく、より多くの聴き手に向けられたものだった。アメリカ史上最も壮絶な戦いのなかで、愛する者を失った何百万というアメリカ人に語りかけたのだ。それ

は、自由を獲得してからまだ1世紀もたっていない国の人々に、団結し続けることを迫っていた。そしてまた、世界へ向けての約束でもあった――自由を獲得したアメリカは、その自由をたやすく手放したりはしない。

この演説から1世紀後、有名な演説を行ったアメリカ人がもうひとりいる。マーティン・ルーサー・キングだ。彼はワシントンのリンカン記念堂の階段で、奴隷の所有を禁じた憲法修正第13条に署名したリンカン大統領をほめ称えた。「この重大な布告は、何百万という黒人奴隷を大きな希望の明かりで照らした。彼らはそれまで不条理な炎に容赦なく焼かれてきたのだ」

下｜ゲティスバーグでの演説前のリンカンをとらえた、めずらしい1枚。中央付近でこちらに顔を向けているのがリンカンで、護衛や聴衆に押しつぶされそうになっている。

イギリス領北アメリカ法

カナダ建国の法的根拠となったイギリス領北アメリカ法。1867年にイギリス議会で可決されたこの法律は、カナダ自治領政府のしくみを決め、連邦政府と4つの州政府の権力分立を定めた。近代において最も成功したこの憲法的文書はロンドンで保管され、1982年にピエール・エリオット・トルドー首相が憲法改正の権限をイギリスからカナダに移すまで、修正をへながらカナダの憲法の役割を果たした。

ウェストミンスター宮殿の議会文書館に保管されている300万もの文書のなかに、カナダ国民にとって非常に重要なものがある。都市救貧法とドッグライセンス法の間にある1867年のイギリス領北アメリカ法だ。赤いリボンで綴じられた、なんの変哲もない羊皮紙の束にみえるが、世界屈指の繁栄を誇る国の枠組みを定めた文書だ。この法のもとで、北アメリカの3つのイギリス領——カナダ植民地（当時オンタリオとケベックを合わせてそう呼ばれていた）、ノヴァスコシア植民地、ニューブランズウィック植民地——が「カナダ自治領」となった。

「連邦結成の父祖」と呼ばれたカナダの政治家や思想家たちは、「自分たちの土地が世界の国々と肩を並べるようになる」ことを望んでいたが、自分たちの国をつくろうと考えた一番の動機は、アメリカ大陸のほかの国々の脅威だった。アメリカ合衆国では1865年に南北戦争が終わり、カナダにあるイギリス領の一部を併合しようと公言する政治家がいた。1866年にはアイルランド出身者からなるフィニアン同盟の過激なメ

ンバーが、イギリスにアイルランド独立を迫るため、カナダの植民地を襲撃した。メンバーのなかには南北戦争の退役軍人もいた。同じ年、合衆国政府は、北アメリカのイギリス領との天然資源や農産物の自由貿易を容認していたそれまでの政策を方針転換した。

建国にかかわった人たちは、新しい国名を「カナダ王国」としたかったが、イギリス政府に拒否された。そこで「自治領」に落ち着いたが、カナダの政治制度については自分たちの意見を通し、庶民院と元老院からなるイギリス式の議会制度を選んだ。また、アメリカの憲法から、自分たちが最も優れていると考えた面を取り入れた。アメリカと同じように、行政府は中央の連邦政府と州政府からなるが、カナダの場合は、連邦政府に包括的で支配的な権限を、州政府には限定的な権限を与えることにした。カナダの初代首相となったジョン・A・マクドナルドは「アメリカ合衆国で紛争の原因になったような重大な弱点が生じないよう、あらかじめ対処した」といっている。

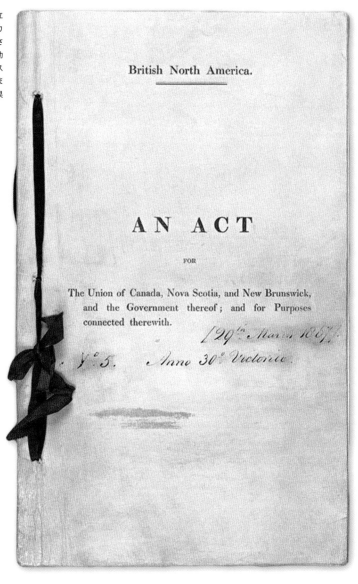

British North America.

AN ACT

FOR

The Union of Canada, Nova Scotia, and New Brunswick,
and the Government thereof; and for Purposes
connected therewith.

[29ᵗʰ March 1867.]

Nᵒ 5.   Anno 30ᵉ Victoriæ.

アメリカの南北戦争の生々しい記憶から、カナダの州がアメリカの州のように離脱権を求めるようになるのを避けたかったのだ。法律には権力の分立が明記されている。連邦政府は総合課税や通貨政策、銀行業の監督、刑事裁判など、29の具体的な業務を担う。州政府は教育や刑務所、病院、民事裁判など16の分野を管轄する。州裁判所レベルより上の判事は連邦政府が任命する。国家元首はイギリス君主がそのままと

PAPERS

RELATING TO

The CONFERENCES which have taken place between HER MAJESTY'S GOVERNMENT and a DEPUTATION from the EXECUTIVE COUNCIL of CANADA appointed to confer with HER MAJESTY'S GOVERNMENT on SUBJECTS of IMPORTANCE to the PROVINCE.

Presented to both Houses of Parliament by Command of Her Majesty.
19th June 1865.

No. 1.

Copy of a DESPATCH from GOVERNOR GENERAL Viscount MONCK to the Right Honourable EDWARD CARDWELL, M.P.

(No. 83.)

SIR,
Quebec, 24th March 1865.

I HAVE the honour to transmit for your information a copy of an approved Minute of the Executive Council of Canada appointing a Deputation from their body who are to proceed to England to confer with Her Majesty's Government on subjects of importance to the Province.

The gentlemen named on the deputation propose leaving by the steamer which sails on the 5th April.

The Right Honourable
Edward Cardwell, M.P., &c., &c.

I have, &c.
(Signed) MONCK.

Enclosure in No. 1.

Copy of a REPORT of a COMMITTEE of the Honourable the EXECUTIVE COUNCIL, approved by his Excellency the GOVERNOR GENERAL on the 24th March 1865.

THE Committee respectfully recommend that four members of your Excellency's Council do proceed to England to confer with Her Majesty's Government :

1st. Upon the proposed Confederation of the British North American Provinces, and the means whereby it can be most speedily effected :

2d. Upon the arrangements necessary for the defence of Canada in the event of war arising with the United States, and the extent to which the same should be shared between Great Britain and Canada :

3d. Upon the steps to be taken with reference to the Reciprocity Treaty, and the rights conferred by it upon the United States :

4th. Upon the arrangements necessary for the settlement of the North-west Territory and Hudson's Bay Company's claims :

5th. And generally upon the existing critical state of affairs by which Canada is most seriously affected :

The Committee further recommend that the following Members of Council be named to form the Delegation, viz., Messrs. Macdonald, Cartier, Brown, and Galt.

Certified,
WM. H. LEE, C.E.C.

No. 2.

Copy of a DESPATCH from the Right Honourable EDWARD CARDWELL, M.P., to Governor General Viscount MONCK.

(No. 95.)

MY LORD,
Downing Street, 17th June 1865.

I HAVE the honour to inform your Lordship that several conferences have been held between the four Canadian Ministers who were deputed, under the Minute of your Executive Council of March 24th, to proceed to England to confer with Her Majesty's

12794.
A

どまる。時代背景を考えればしかたのないことだが、女性や先住民など、特定のグループについての言及はない。

1867年2月12日、カナダ、ノヴァスコシア、ニューブランズウィック連合法案がイギリス上院に提出された。カナダが自治を行う一方で、イギリスが引き続き外交と防衛政策を担うという内容だった。植民地大

臣のカーナーヴォン伯爵は、これが「土台となって偉大な国家が築かれ——おそらくいつかはわが国をしのぐようになるであろう」と述べた。法案がまたたくまに通過したのは、イギリスの政治家たちが、植民地が防衛などの費用をもっと負担するようになることを期待していたからだった。カナダは将来の貿易相手として、そして大英帝国の重要な一員として期待されていた。イギリス領北アメリカ法は1867年7月1日にカナダで発効した。カナダ連邦は、この新しい国の首都オタワで101発の祝砲に迎えられた。トロントでは花火が上がり、モントリオールではトランペットが響き、ハリファックスでは軍事パレードが行われた。

その後、時代とともにイギリス領北アメリカ法には多くの修正が加えられた。カナダの法的統治権はすべてイギリスが握っていたため、修正のたびにイギリス議会の承認が必要だった。1871年、カナダに新しい州と準州の設立の権限が与えられた。1930年、比較的新しいブリティッシュコロンビア、アルバータ、マニトバ、サスカチュワンの各州に、連邦管轄の土地での天然資源運用の権限が与えられた。1949年になってようやくイギリス議会

は、カナダ議会にイギリス領北アメリカ法を修正する権限を認めたが、連邦権に関する項目のみという限定つきだった。カナダ連邦政府は何度となく州政府に、憲法改正の権限委譲をイギリス政府に打診する同意を得ようとしたが、うまくいかなかった。ついに成功したのは、ピエール・エリオット・トルドー首相だった。1982年3月29日、カナダ法がイギリス議会を通過し、イギリスはカナダに関する立法権を手放した。3週間もたたないうちに、女王エリザベス2世がオタワを訪れ、新しい憲法法に署名した。現在、10の州と3つの準州から構成されるカナダは、1867年のイギリス領北アメリカ法のおかげで安定した民主的社会を築いている。

右上｜連邦結成の父祖たちの絵を写真に撮ったもの。元の絵は1916年に火事で焼失した。首相になるマクドナルドが中央に立ち、文章を読みあげている。
右下｜1982年、オタワにて憲法法に署名するカナダのピエール・エリオット・トルドー首相とイギリスのエリザベス女王。

1885年ベルリン協定

1885年2月に開かれたベルリン会議で、アフリカ分割の一般原則についての決議が採択された。この瞬間、ヨーロッパ列強——イギリス、フランス、ポルトガル、ドイツなど——は、アメリカ合衆国とともにアフリカ大陸の分割に合意した。そこにはアフリカの人々の意志をおもんぱかるそぶりさえなかった。

驚くべきことに、広大なアフリカ大陸の大部分が1880年代にいたるまで、他国の植民地支配をまぬがれていた。それまではヨーロッパ各国の入植地が主に海岸沿いに点在し、栄えていたものの、それ以外の場所はアフリカ土着の支配者たちが治めていた。1500年頃から始まった帝国拡大の大きなうねりは、アフリカにはほとんど影響を与えなかった。しかし1914年の第一次世界大戦勃発までの数十年間に、ヨーロッパ諸国による植民地化が一気に広がった。「アフリカ分割」と呼ばれる動きである。

ヨーロッパの植民地獲得のねらいは、貿易相手と天然資源の確保にあった。また、産業革命によって急速に増加した豊かな都市住民が、住む場所を求め、目の前に突如として現われたチャンスを生かそうとしたためでもあった。アフリカの分割は領土争いによって過熱した。海沿いに小規模にあっただけの入植地が内陸に向かって急激に拡大し、アフリカの部族や王国との交渉、ときには戦闘によって、またたくまに植民地化が進んだ。兵器の威力が桁違いだったため、アフリカ側の抵抗は、ごくわずかの例外を除いて退けられた。エチオピア帝国の皇帝メネリク2世が1896年にイタリアを破っ

左｜ベルリンにあるみずからの公邸でベルリン会議の議長を務めるオットー・フォン・ビスマルク（中央右寄りでこちらをみている人物）。注目すべきは壁に掛けられたアフリカの地図と、会場にアフリカ人がまったくいない点。

AFRICA. No. 3 (1886).

GENERAL ACT

OF THE

CONFERENCE OF BERLIN.

Signed February 26, 1885.

Presented to both Houses of Parliament by Command of Her Majesty.
June 1886.

LONDON:
PRINTED BY HARRISON AND SONS.

To be purchased, either directly or through any Bookseller, from any of the following Agents, viz.,
Messrs. HANSARD, 13, Great Queen Street. W.C., and 32, Abingdon Street, Westminster;
Messrs. EYRE and SPOTTISWOODE, East Harding Street, Fleet Street, and Sale Office, House of Lords;
Messrs. ADAM and CHARLES BLACK, of Edinburgh;
Messrs. ALEXANDER THOM and Co. (Limited), or Messrs. HODGES, FIGGIS, and Co., of Dublin.

[C.—4739.]   Price 8½d.

et affluents, ses embouchures et issues, ainsi que sur la mer territoriale faisant face aux embouchures et issues de ce fleuve.

Le trafic demeurera également libre, malgré l'état de guerre, sur les routes, chemins de fer, et canaux mentionnés dans l'Article 29.

Il ne sera apporté d'exception à ce principe qu'en ce qui concerne le transport des objets destinés à un belligérant et considérés, en vertu du droit des gens, comme articles de contrebande de guerre.

CHAPITRE VI.—*Déclaration relative aux Conditions essentielles à remplir pour que des Occupations nouvelles sur les Côtes du Continent Africain soient considérées comme effectives.*

ARTICLE 34.

La Puissance qui dorénavant prendra possession d'un territoire sur les côtes du continent Africain situé en dehors de ses possessions actuelles, ou qui, n'en ayant pas eu jusque-là, viendrait à en acquérir, et de même, la Puissance qui y assumera un Protectorat, accompagnera l'acte respectif d'une Notification adressée aux autres Puissances Signataires du présent Acte, afin de les mettre à même de faire valoir, s'il y a lieu, leurs réclamations.

ARTICLE 35.

Les Puissances Signataires du présent Acte reconnaissent l'obligation d'assurer, dans les territoires occupés par elles, sur les côtes du continent Africain, l'existence d'une autorité suffisante pour faire respecter les droits acquis et, le cas échéant, la liberté du commerce et du transit dans les conditions où elle serait stipulée.

左・上│ベルリン会議の「一般原則についての決議」（上はフランス語で書かれている）。重要な条項のひとつである第34条には、「アフリカの土地を植民地とした、あるいはアフリカの土地を『保護領化』した国は、必ずほかの参加国にその旨を知らせなければならない」と書かれている。

たのは、アフリカの抵抗が成功した数少ない例である。

アフリカ分割に加わったヨーロッパの主な国は、アフリカ西部でのフランス、アフリカ西部、南部、東部でのイギリス、主にアフリカ南部でのポルトガルなどだった。比較的あとから加わったのが、アフリカ南西部でのドイツとアフリカ中部のコンゴでのベルギーだった。ドイツは精力的なプロイセン首相オットー・フォン・ビスマルクのもとで統一を果たしていた。ビスマルクは外交的に有利になると考えて、ベルリンで会議を開催し、アフリカ支配についてなんらかの合意を目指すことにした。みずからの影響力を駆使して、イギリス、フランス、ポルトガルの植民地獲得熱をおさえよ

うと、1885年2月、関係国に議定書への合意を呼びかけた。コンゴを私領として統治することを承認させようと考えていたベルギー国王レオポルド2世は、会議の開催を熱心に後押しした。

ベルリン会議にはアフリカに利権を持つ14か国の代表が参加し、そこにはアメリカ合衆国も含まれていた。会場はベルリンにあるビスマルクの公邸の大舞踏室だった。出席者のうち、実際にアフリカにいったことがあるのはふたりだけだった。アフリカ人はひとりもいなかった。ここで採択されたアフリカ分割の一般原則についての決議には、とりわけ重要な条項がふたつある。ひとつめは、アフリカを植民地化する動機についての建前を世界に示す第8条。「統治権、あるいは影響力を行使するすべての国は……先住民の保護を監督し、彼らの物心両面における福祉のための環境を向上させ、奴隷制度、とくに奴隷貿易の廃止に協力することを誓う」。先住民たちの政治的

権利や人権については、まったく言及していない。さらに参加国は「先住民を指導し、文明のありがたさを痛感させることを目指す」と強調している。

重要な条項のふたつめは第34条で、「アフリカ大陸の一画を植民地とする」国は誤解を防ぐため、ほかの国々にその旨を知らせるようにと、恥ずかしげもなく求めている。ここでもアフリカ先住民の主権についてはまったく触れられていない。

ベルリン会議で最も利益を得たのはベルギー国王レオポルド2世だった。立派なひげをたくわえた堂々とした風格の国王は、有名なイギリス系アメリカ人のジャーナリストで探検家でもあるヘンリー・モートン・スタンリーに資金を提供していた。ベルリン会議前の数年間、国王はスタンリーに命じて多くのアフリカの部族長たちを丸めこみ、みずからが博愛計画と称する、コンゴ盆地での建国に参加させようとしていた。王の側近たちはスタンリーにこう伝えていた。「黒人たちに政治的な権限をほんの少しでも与える必要はない。そんなことはばかげている」。ベルリン会議は、ゴムと象牙の豊かな産地であるこのアフリカの広大な土地を、レオポルド2世個人が支配することを事実上認めた。レオポルド2世は会議が終わるとすぐにこのみずからの私領を「コンゴ自由国」と名づけ、そこで住民と資源を無慈悲なまでに搾取して世界的なスキャンダルとなった。残酷な暴政が終わったのは、レオポルド2世が恥じ入り、1908年にベルギー政府に統治権を委譲したときだ。レオポルド2世が世を去る前年のことだった。

ベルリン会議がヨーロッパ列強に許した

左｜このフランスの漫画がすべてを物語っている。「アフリカ」と書かれたケーキをどのように切り分けるか、ビスマルクが話をまとめようとしている。

アフリカ分割
1885年–1914年

スペイン領モロッコ
チュニジア
アルジェリア
モロッコ
リオ・デ・オロ
リビア
エジプト
フランス領西アフリカ
イギリス・
エジプト領
スーダン
エリトリア
フランス領ソマリランド
イギリス領ソマリランド
ガンビア
黄金海岸
トーゴ
ギニア
ナイジェリア
シエラレオネ
リベリア
カメルーン
アビシニア
イタリア領ソマリランド
リオムニ
ガボン
ベルギー領
コンゴ
イギリス領東アフリカ
カビンダ
ドイツ領東アフリカ
アンゴラ
ローデシア
モザンビーク
マダガスカル
ドイツ領
南西アフリカ
ベチュアナランド
オレンジ自由州
南アフリカ連邦

宗主国

- ■ イギリス
- □ フランス
- ■ ドイツ
- ■ ポルトガル
- □ イタリア
- ■ ベルギー
- ■ スペイン
- ■ 独立

上｜1885年から1914年までの「アフリカ分割」を示す地図。
灰色に塗られているリベリアとアビシニア（エチオピア）だ
けが、かろうじて独立を守った。
右｜探検家ヘンリー・モートン・スタンリー。ベルギー国王
レオポルド2世に派遣され、コンゴの領土を支配した。白人
による絶対支配を求める国王の命令にスタンリーが忠実に
従っていたかどうかについては、いまだに意見が分かれて
いる。

　尊厳の蹂躙は、1世紀続かなかった。1950
年代から1960年代にかけて、アフリカの植
民地のほとんどが自由を得て独立した。民
主的な国家になったところもあれば、独裁
者が支配する国家もある。ヨーロッパによ
る植民地時代は短いものだったかもしれな
いが、その負の遺産はいつまでも激しい論
争の火種になり続けるだろう。

ニュージーランド
女性参政権請願書(1893年)

全長270メートルにおよぶ請願書は、女性の権利をめぐる歴史の大きな転換点を象徴している。この請願書をきっかけに、ニュージーランドは自治国家としてはじめて女性に国政選挙権を認め、女性参政の先例を作った。

1893年、女性に参政権を認める選挙法案が議論されているとき、ニュージーランド代議院(下院)の議場の床に長大な請願書が広げられた。そこにはニュージーランドに住むヨーロッパ系女性人口の4分の1にあたる3万2千人近くの女性の署名があった。546枚の紙をのりでつなげた請願書は、「参政権を女性にも与えるべきだ」と訴えていた。

ニュージーランドで女性参政運動が始まったのは1870年代、ヨーロッパや北アメリカでの運動に刺激を受けてのことだった。女性は二流市民で家事や子育てをしていればよいとみなされた時代は、ゆっくりと終わりつつあった。ニュージーランド議

左｜新式の自転車に乗った若い女性が、女性に参政権を認めた進歩的なニュージーランドをほめ称えているポストカード。一方のジョン・ブル（擬人化された英国）は旧式の自転車に乗り、いかにも古くさい。

若いニュージーランド：「あら、おじいちゃん！　ずいぶんへんてこな古い自転車ね。わたしみたいなのに乗ればいいのに」／（イギリスの前輪）男性有権者のみ／（イギリスの後輪）女性は地方選挙のみ投票可／（ニュージーランドの前輪）男性と女性／（ニュージーランドの後輪）平等な投票権

会には1878年から1887年にかけて普通選挙法案や改正案が提出されたが、すべて否決された。女性の参政に反対する人びとは、無遠慮できく耳を持たなかった。参政権を求める活動家たちは「キャンキャンうるさい女たち」にすぎず、その活動は「むこうみず」で、女性を「家庭の天使から不機嫌なばあさん」に変えるだけだと片づけられた。

風向きが変わったのは、ケイト・シェパードら、意志が固い女性たちの努力があったからだ。シェパードが仲間とともに設立した有名なキリスト教婦人矯風会は、世界各地の同種の組織と同じように、過度の飲酒は貧困から家庭内暴力まで、さまざまな社会問題の根源であるという思想を持った組織だった。シェパードは、女性が参政権を得れば社会を変えられると確信していた。力強い雄弁家であったシェパードは、女性たちは「活動範囲を決めつけられ、その範囲をすこしでも出れば女らしくないと批判されることに飽き飽きしている」と訴えた。そして主張を広めるために記事を書いたり、政治家にロビー活動をしたりしたが、なによりも決定的だったのが請願書の作成だった。女性にも乗り回しやすい自転車ができたおか

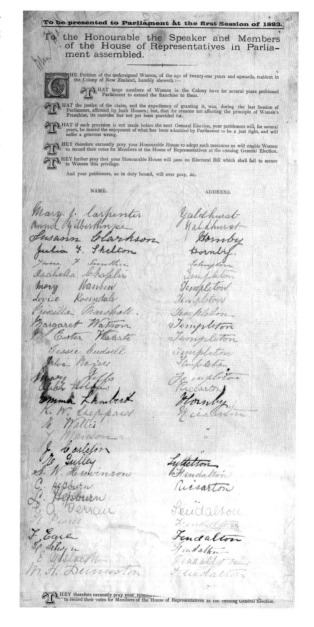

上｜女性参政権請願書に寄せられた3万2千近くの署名の冒頭部分。ニュージーランドが世界ではじめて女性参政権を認める後押しとなった。

げで、国じゅうの支持者がペダルをこぎ、署名を集めた。1891年、9千人以上の女性が署名し、翌年にはその数が倍になった。重要な1893年の請願書には、あらゆる階層の3万2千人近くの署名が集まった。実物をみれば、教養のある人の優雅な筆跡から、読み書きのできない人の「×」印まであることがわかる。

1891年と1892年、ニュージーランド下院は女性に選挙権を与えることになる法案を可決したが、立法評議会（上院）の反対者が修正を加え、妨害した。参政権活動家の多くがアルコールの禁止を支持していたことから、酒類業界と関係のある政治家がとくに声高に反対した。与党自由党の議員たちのあいだには、女性たちが選挙権を得れば、野党の保守党に投票するのではないかという懸念もあった。

1893年4月、ふたたび女性参政権を認める法案が下院に提出された。まさにその議論のさなかに、シェパードの長大な請願書が、議場の床に華々しく広げられた。「代議員議長殿ならびに議員のみなさま」にあてられた請願書は、「この自治国家の多くの女性たちが、何年ものあいだ議会に請願を続けてまいりましたように」、選挙権を与えるようはっきりと書いている。そして次の選挙までに法案が通過しなければ、「請願者たちは、当然の権利として議会に与えられるはずのものをさらに数年間享受できなくなり、嘆かわしい損害をこうむることになる」としている。

法案はあっけなく通過したが、まだ賛否が分かれる上院で過半数を得なくてはならない。のちに「ボタンホールの戦い」と呼ばれるようになった採決の場で、法案の支持者は白いツバキを、反対者は赤いツバキをボタンホールに挿した。当時の首相リチャード・セドンは酒類業界と関係が深く、なにがなんでも法案を通さない決意だった。僅差になることがわかっていたため、セドンは女性参政権に賛成する議員に圧力をかけた。そしてひとりを翻意させることに成功した。それに憤慨したふたりの議員が立場を変え、賛成票を投じた。1893年9月8日、法案は20票対18票で可決された。11日後、新しい選挙法が施行された。21歳以上のイギリス臣民、または先住民族であるマオリ族の女性に参政権が認められた。対象となる女性の80％近くが、さっそく10週間後の選挙で新たな権限を行使した。選挙前には、「婦人投票者」が「野卑な男や酔った男」にからまれる恐れがあるという話も飛び交った。蓋を開けてみると、投票日当日の町は「華やかなガーデンパーティのようで、女性たちの美しい服や笑顔が投票ブースを明るくしていた」と、あるニュージーランドの新聞は報じている。

1893年当時、アメリカ合衆国ではいくつか

　　　　32｜ニュージーランド女性参政権請願書（1893年）

の州と準州でヨーロッパ人女性の投票を認めていたが、国政選挙での女性の投票権を認めた自治国家はニュージーランドがはじめてだった。1902年にオーストラリアが続き、1906年にフィンランドがヨーロッパでははじめて女性参政権を認めた。アメリカ合衆国全体で女性の参政権が認められたのは1920年になってから、イギリスでは1928年になってようやく21歳以上の女性に認め

られた。ニュージーランドは行政府の長に女性が3回就任した数少ない国である。実際に訪れてみると、世界のなかでもとりわけ安定した、堅実な国だと感じる。

下｜1893年11月28日、投票に集まる女性たち。女性が国政での被選挙権を獲得するのは1919年になってから。

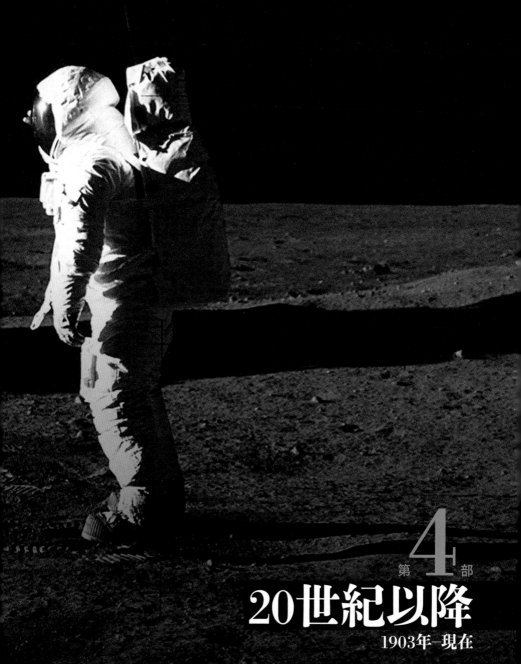

第 4 部

20世紀以降

1903年–現在

33

ライト兄弟の電報

ウィルバー・ライトとオーヴィル・ライトは、世界で最も有名なパイロットだ。1903年12月、ノースカロライナの海岸ではじめて動力つきの飛行機で空を飛んだ。その後すぐに父親のミルトン・ライト牧師にこの電報を打ち、成功を誇らしげに伝えている。初飛行の滞空時間は1分未満だったが、速さはおよそ時速50キロメートルに達した。

その朝、ノースカロライナ州キティホークの海岸には、強い風が吹いていた。1903年のクリスマスを1週間後に控えた日のことである。オハイオ州で自転車店を営む30代

上｜航空界のパイオニア、ウィルバーとオーヴィル。1909年、オハイオ州デイトンの自宅前の階段にて。

の兄弟が奇妙な装置を引きずっていくその先には、20メートルの木製のレールが2本しかれていた。風は真正面から吹いてくる。ふたりは装置をワイヤで地面に繋ぐと、交替でなかに乗りこんで、上下に並んだひと組の翼のうち下にあるほうにうつぶせになる。翼は木枠にモスリンの布を張ったもので、長さは12メートル強だ。操縦者の前方に突き出している、もうひと組の薄っぺらな仕掛けは昇降舵で、小さなレバーを手で動かし装置の高度を上げ下げする。腰の位置を左右に動かすと翼が「たわむ」ので、空中で左や右に装置を傾けることができる。後方には方向舵があって進行方向を制御する。操縦者のかたわらに据えてあるのは、兄弟の自転車店で作った12.5馬力のガソリンエンジンだ。エンジンから伸びたチェーンが、翼の後方に取りつけられた2枚の巨大な木製のプロペラを回転させる。エンジンをフル回転させれば、ワイヤを解いた瞬間、プロペラの「押す力」でこの素朴な飛行装置は前進をはじめるだろう。
　この兄弟はオハイオ州デイトンに住む

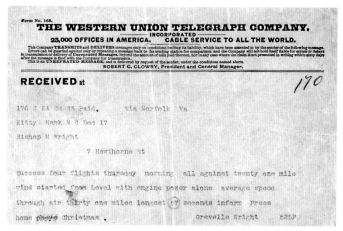

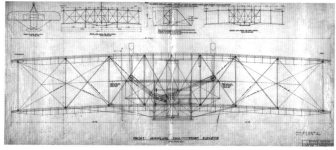

ウィルバー・ライトとオーヴィル・ライト
であった。航空界のほかのパイオニアたち
とともに、この数年間、命がけでグライ
ダーを飛ばしてきたが、動力つきの機体を
飛ばすのは今日がはじめてだった。ふたり
はその日の午前中に交替で3度飛行を試み
て、わずかな時間の飛行に成功していた。
昼近くに行われた4回目の飛行は、兄の
ウィルバーが操縦する番だった。これが歴
史的な飛行となる。この飛行の後、オー
ヴィルはかの有名な電報を父親のミルト
ン・ライト牧師に打っている。ウィルバー
は59秒間空中にとどまり、平均時速は約50
キロメートルに達した。この飛行で航空機
開発競争に火がつき、1948年にオーヴィル

が亡くなる前に音速の壁を突破するまでに
なる。

　兄弟はふたりとも大学にいかなかった。
1892年にデイトンに自転車店を開業してい
て、機械に詳しかったので、グライダーの
機体を制御することに強い関心を持つよう
になった。グライダーでの飛行は危険をと
もなった。それは主に、機体が精巧に作ら
れた凧にすぎず、操縦が非常に難しかった
ためだ。ウィルバーとオーヴィルは自分た
ちで風洞［筒状の実験装置。なかに空気を流して
空を飛んでいる状態を作る］を作り、さまざま
な翼や方向舵を考案して、自作のグライ
ダーで実際に試してみた。ほどなくしてふ
たりは、自転車店の機械工、チャールズ・

テイラーとともにアルミニウム製のエンジンを作って、飛行機を完成させた。エンジンを積み、操縦する人間がひとり寝そべって乗っても飛べるほどの、軽い機体だった。

兄弟は地元紙にフライトの成功を伝えたのだが、動力つき飛行機などみたこともない記者には、まともな報道ができなかった。ウィルバーとオーヴィルが世界的に有名になったのは、1908年の夏になってからだ。ふたりはフランスに飛行機を持っていき、ル・マン近郊の競馬場でデモンストレーションを行って、多くのヨーロッパの観衆を魅了した。オーヴィルが1時間を超える飛行をはじめて成功させたのは、その年の9月、アメリカでのことだ。1909年の夏には、兄弟はタフト大統領から勲章を授かり、新たに開発したふたり乗りの飛行機をアメリカ陸軍通信隊に購入してもらうまでになった。

ウィルバーは1912年に亡くなり、一方オーヴィルは、航空業界で複数のポストを歴任したのち、1948年に76歳で亡くなった。彼はインタビューのなかで次のように述べている。「わたしたちは不遜にも、地球に永遠の平和をもたらすなにかを発明した気分になっていた。しかし、それは間違っていた」。そして、第二次世界大戦で空爆による破壊行為が行われたことを嘆きはしたが、「人々の生活にこれほど役立つ機械を発明したという点ではなんの悔いもない」、とも語っている。

意外なことに、動力つき飛行機を発明したふたりの偉大な発明家を生んだ国、アメリカは、1910年に立ち上がった航空産業においてヨーロッパに大きく後れをとった。第一次世界大戦が勃発したときアメリカに

空軍はなく、陸軍も通信隊の数機をのぞけば飛行機を装備していなかった。1917年に参戦したときには、戦闘機のほとんどをイギリスとフランスから調達せざるを得なかった。戦争終了時点において、ヨーロッパに駐留するアメリカ軍は6,384機の飛行

機を装備していたが、アメリカ製はそのうち1,213機にすぎない。

　発明当時から、飛行技術の発達は期待を大きく超えてきた。人類の努力が生んだ奇跡のひとつである。今では1日で地球を1周できるし、月までいっても1週間たらず

上｜ノースカロライナ州キティホークの海岸を飛ぶライト兄弟の飛行機。離陸直後をとらえた。パイロットが中央にうつぶせになり、2枚のプロペラは機体の後方で回転している。

だ。キティホークの海岸でふたりの男がはじめた冒険は、想像もしない未来につながっていた。

34
フレデリック・タブの
ガリポリ日記

オーストラリアの軍事史における決定的瞬間に立ち会ったフレデリック・タブ大尉は、のちにヴィクトリア十字章を受けた。その日記には、1915年にガリポリ半島のローンパインで起きた壮絶な戦いの記録が残っている。ともに戦っていた仲間がみな息絶え、塹壕にひとりとり残されたとき、数に勝る敵に勇敢に立ち向かったみずからの行動についての記述は非常に謙虚だ。

トルコのガリポリ半島ほど、オーストラリア人とニュージーランド人が畏敬の念を抱く旧戦地はない。第一次世界大戦の2年目にここで行われた悲劇的な作戦は、このふたつの旧植民地が独立国になってはじめて経験したおそろしい総力戦であった。とくにオーストラリア人にとって、1本のマツの木（ローンパイン）があった小さな丘が、歴史的な場所となっている。1915年8月6日から9日にかけて、そこで世界で最も破滅的な軍事作戦が行われ、まれにみる勝利を果たしたからだ。ローンパインの戦いで、オーストラリア兵たちは勇猛に死力を尽くして戦った。そしてその戦闘だけで、戦場での勇敢な行動に対してイギリス君主から与えられる最高の顕彰であるヴィクトリア十字章を7つも贈られた。ヴィクトリア州ロングウッド出身のフレデリック・タブ大尉もそのひとりだった。「ここで起きたことを説明したら、本1冊分になるだろう」とタブは日記に書いている。

今は墓地となっている激戦跡地に立つと、苛烈な戦いの物語が胸に迫ってくる。

上｜ガリポリの戦いでオーストラリアの英雄となったフレデリック・タブ大尉。1915年の武勲によりヴィクトリア十字章を贈られた。

ガリポリ半島で戦った6万人のオーストラリア兵のうち、8か月にわたる作戦で3万人近くが死傷。そのうち2,300人は「ローンパイン」での戦死者だ。

上｜タブの1915年8月10日の日記（右ページ）には、その前日に「激しい応酬があり、断続的に午後4時まで戦った……」とある。さらに、「こうして生きているのはとても運がよかったからで、ありがたいことだ」と続いている。

オーストラリアとニュージーランドの兵たちは、第一次世界大戦が始まるとエジプトでANZAC（アンザック）軍団を組織し、ウィンストン・チャーチルが1915年4月にガリポリ半島をオスマン帝国から奪う作戦を開始すると、機動的な戦力として投入された。オスマン帝国はドイツ側につき、イギリスやフランス、ロシアなどの連合国軍と戦っていた。当時海軍大臣だったチャーチルは、イギリス内閣の反対意見を押し切って、オスマン帝国の首都コンスタンティノープルを脅かすため、新たな戦線を拓くことにした。オーストラリアとニュージーランドの軍勢は、主にイギリス軍とフランス軍が上陸した半島の先端から数キロ

メートルの場所にある、のちに「ANZACコーヴ」と呼ばれるようになる入り江に上陸した。オスマン帝国軍は、ドイツ人大将リーマン・フォン・ザンデルスのもと果敢に戦い、侵略軍を押しもどした。連合国側の統率が乱れ、戦略的好機を何度も逃したことから、イギリス政府は1915年12月と1916年1月に屈辱的な撤退を余儀なくされた。

ローンパインの戦いは、惨めな結果に終わったこの作戦における、数少ない輝かし

上｜ローンパインでオスマン帝国軍に突撃するオーストラリア軍。ガリポリ半島の奪取作戦でもとくに過酷な戦いで、2,300人以上のオーストラリア兵が戦死した。

い例外だった。ANZAC軍団は夏の炎天のもと、前進基地で身動きができなくなっていた。シラミに悩まされ、水が不足し、缶詰牛肉とビスケットという粗末な兵糧で食いつないでいた軍団は、8月6日に陣地の拡大を試みた。左側のニュージーランド軍による攻撃を支援するため、オーストラリア軍の第1旅団は丘を突っ切り、数メートル先のオスマン帝国軍の塹壕に向かって突撃した。司令官がその3か月前にスケッチし、その後砲火で失われた1本のマツの木が生えていた場所を通れという指示だった。沖に停泊しているイギリス海軍の船が盛んに大砲を撃ち、オスマン帝国軍を塹壕にとどまらせていた。午後5時半、砲声が止んだのを合図に、オーストラリア兵たちは飛び出し、オスマン帝国軍のライフルや機関銃の猛烈な攻撃に向かっていった。銃撃をかいくぐることができたオーストラリア兵は、オスマン帝国軍の最前列の塹壕に飛びこみ、激しい接近戦を繰り広げ、最後

には第2防衛ラインまで退却させた。こうしてひとまずオーストラリア軍が優勢になったが、それから3日間、すさまじい反撃に遭った。

　フレデリック・タブは、奪取した塹壕のひとつを守る役目を担い、死者や負傷者に囲まれ、止むことのない攻撃に耐えていた。タブは部下に、バリケードを築いて塹壕を守り、みえにくい場所や障害物の陰から何度も手投げ弾を投げつけてくる敵に崩された場所を修復するよう命じた。「激しい応酬」だったとタブは記している。「黒い悪魔に向かって何度も叫び、やつらをウサギのように叩き潰した」。タブは仲間に、オスマン帝国軍が手投げ弾を投げてきたら、毛布をかぶせるか投げ返すかするように指示したが、激戦のなか仲間はひとり、またひとりと死んでいった。「勇敢な戦友

の多くが、こっぱみじんに吹き飛ばされた」。仲間のひとりは、手投げ弾を投げ返そうとしたが、顔の前で爆発してしまった。「爆弾を投げていた兵は全員死に、そのあとに志願して投げてくれた兵も全滅した」。オスマン帝国軍がバリケードを爆破し、なだれこんできたとき、生き残っていたのはタブだけだった。タブは応戦し、援軍が到着するまでただひとりでその場に踏みとどまった。重傷を負って避難したあと、タブは次のように書いている。「とても運がよかった。3か所けがを負ったが、わが第7分隊でわたしだけが生き残った」。タブは武勇を称えられ、ヴィクトリア十字章を贈られた。しかし1917年、イープルでドイツの狙撃兵の銃弾に倒れた。

　オーストラリア軍はなんとかローンパインを死守したが、ガリポリ半島では激しい攻防がさらに4か月続いた。現在でも、ANZAC軍団のガリポリでの壮絶な戦いを記念して、毎年夜明けの式典が催されている。

右｜1915年8月、ローンパインの塹壕でのオーストラリア兵。この写真はこの年、オーストラリアの郵便切手となり、人気を呼んだ。

一般相対性理論

アルバート・アインシュタインの一般相対性理論は、空間、時間、物質、エネルギーと重力の相互作用を画期的なやり方でひもといた。この理論は、現代物理学における決定的なターニングポイントだと考えられている。その波及効果はあまりにも大きい。アインシュタインが雑誌『タイム』の1999年12月31日号で「20世紀の人物」に選ばれたのも、驚くにあたらない。

1905年、スイスの特許事務所で働く26歳の無名の技術者が、科学誌に論文を4本発表した。これらの論文によって、若きアルバート・アインシュタインは「天才」と呼ばれることになる。そのひとつ、特殊相対性理論は、空間と時間はたがいに干渉しない独立した絶対的なものだという、それまでの常識を覆した。それどころかアインシュタインは、すべての物理法則が同じように起こる慣性系（慣性の法則が成り立つ静止か等速状態）では、空間も時間も観察者の視点によって伸び縮みすることを明らかにした。この驚くべき結論は、現実世界で起きるシナリオに当てはめて科学の法則を説明する、みずからが「思考実験」と名づけたやり

$$\varepsilon x = \frac{mc^2}{\sqrt{1 - \frac{q^2}{c^2}}}$$

左｜この方程式でアインシュタインは「L」（光のエネルギー）を「E」（一般的なエネルギー）に置き換えた。のちにこれらの変数を組み替え、有名な E = mc² という方程式を編み出した。

方で導いた。たとえば、彼はこんな場面を想像した。自分は駅のプラットフォームにいて、友人は走行中の列車のなかにいる。その列車の車体がプラットフォームにいる自分の前を通るとき、列車の先頭と最後尾に雷が落ちたとする。自分にはそのふたつの落雷が同時にみえる。ところが列車のなかにいた友人にはまず先頭に落ちた雷がみえ、そのあとに最後尾の雷がみえる。列車は前に進んでいて、先頭の雷の光が早く届くからだ。同じ出来事——つまり、列車の両端への落雷——がプラットフォームにいた自分には同時にみえるのに、車内の友人にはそうみえない。ということは、物事が同時に起きるというのは、相対的な概念なのである！　そこでアインシュタインは、相互に密接にからまりあう「時間」と「空間」を「時空」というひとつの概念としてとらえて提案することにした。また、光速（秒速299,792キロメートル）よりも速く進むものは存在しないと考えた。世界一有名な方程式、E = mc²（Eはエネルギー、mは質量、cは光の速さをあらわす）を導き出し、質量とエネ

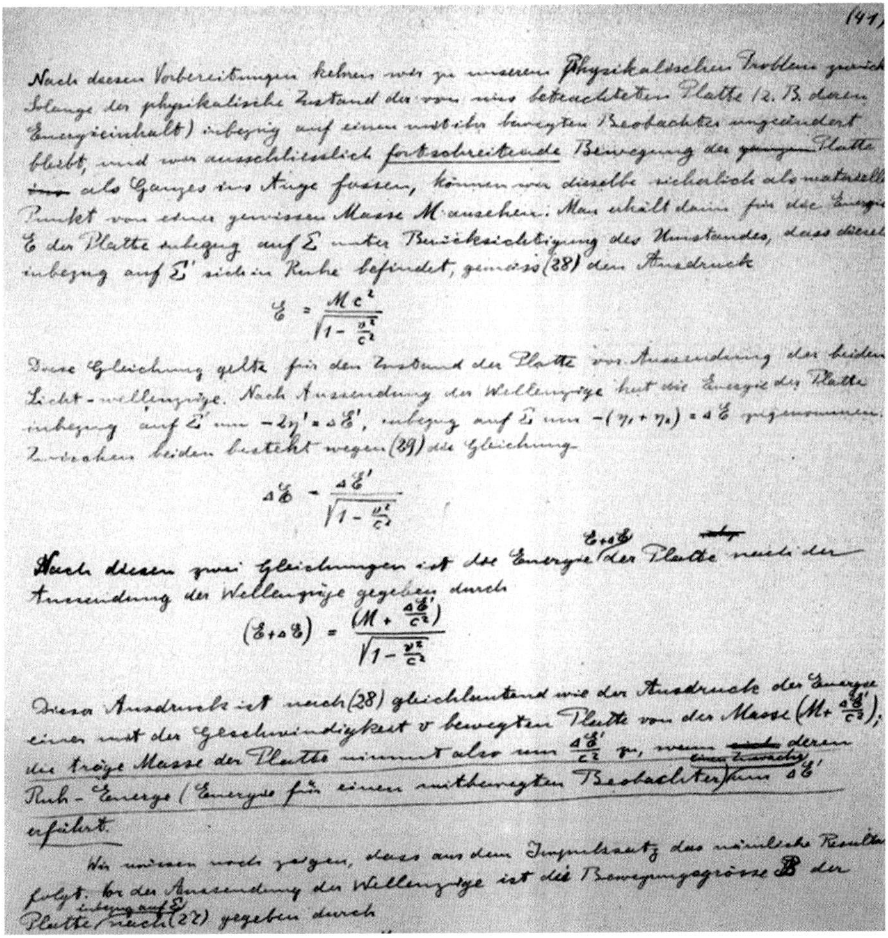

(41)

Nach diesen Vorbereitungen kehren wir zu unserem physikalischen Problem zurück. Solange der physikalische Zustand der von uns betrachteten Platte (z. B. deren Energieinhalt) inbezug auf einen beliebig bewegten Beobachter ungeändert bleibt, und wir ausschliesslich fortschreitende Bewegung der ~~ganzen~~ Platte ~~nur~~ als Ganzes ins Auge fassen, können wir dieselbe sicherlich als materiellen Punkt von einer gewissen Masse M ansehen. Man erhält dann für die Energie $\mathcal{E}$ der Platte inbezug auf Σ unter Berücksichtigung des Umstandes, dass dieselbe inbezug auf Σ' sich in Ruhe befindet, gemäss (28) den Ausdruck

$$\mathcal{E} = \frac{Mc^2}{\sqrt{1-\frac{v^2}{c^2}}}$$

Diese Gleichung gelte für den Zustand der Platte vor Aussendung der beiden Licht-wellenzüge. Nach Aussendung der Wellenzüge hat die Energie der Platte inbezug auf Σ' um $-2\eta' = \Delta\mathcal{E}'$, inbezug auf Σ um $-(\eta_1+\eta_2) = \Delta\mathcal{E}$ zugenommen. Zwischen beiden besteht wegen (29) die Gleichung

$$\Delta\mathcal{E} = \frac{\Delta\mathcal{E}'}{\sqrt{1-\frac{v^2}{c^2}}}$$

Nach diesen zwei Gleichungen ist die Energie $\mathcal{E}+\Delta\mathcal{E}$ der Platte nach der Aussendung der Wellenzüge gegeben durch

$$(\mathcal{E}+\Delta\mathcal{E}) = \frac{\left(M+\frac{\Delta\mathcal{E}'}{c^2}\right)}{\sqrt{1-\frac{v^2}{c^2}}}$$

Dieser Ausdruck ist nach (28) gleichlautend wie der Ausdruck der Energie einer mit der Geschwindigkeit v bewegten Platte von der Masse $\left(M+\frac{\Delta\mathcal{E}'}{c^2}\right)$; die träge Masse der Platte nimmt also um $\frac{\Delta\mathcal{E}'}{c^2}$ zu, wenn deren Ruh-Energie (Energie für einen mitbewegten Beobachter) ~~einen Zuwachs~~ um $\Delta\mathcal{E}'$ erfährt.

Wir müssen noch zeigen, dass aus dem Impulssatz das nämliche Resultat folgt. Vor der Aussendung der Wellenzüge ist die Bewegungsgrösse $\mathfrak{B}$ der Platte inbezug auf Σ nach (22) gegeben durch

上｜「一般相対性理論」より、自筆の下書きページ。この論文は1916年5月11日に発表された。この上のほうにある方程式から、世界一有名なアインシュタインの方程式が生まれる。

ルギーは深い等価性にある［質量はエネルギーに変わることができる］ことを示した。光の速さの値はあまりにも大きい。したがって、ほんのわずかな質量も莫大なエネルギーに変換される。

ところがこの理論にはなにかが欠けていた。重力だ。アイザック・ニュートンが1687年に発表した万有引力の法則では、重力とはふたつの物体が引き合うみえない力で、距離が離れるほどその力は弱まると説いた。アインシュタインはこの説を退け、自分の発見をシンプルに説明した。「ベルンの特許局オフィスで自分の席にいたとき、するといきなりある考えが浮かんだ。自由落下する人は重力を感じない。わたしははっとした。そこから考えが、重力理論に発展した」。エレベーターに乗り一定の

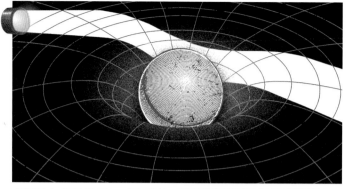

左上｜質量に影響されて時空がゆがむことを示すために、ゴムシートの上に重い球を置いたイメージ。
左下｜アインシュタインは「思考実験」で列車の最前部と最後尾の両方に同時に落ちた雷をみるふたりの観察者を想像した。観察者が移動しているか静止しているかによって、雷のみえるタイミングが異なることに気づいた。

加速度で自由落下している人は、自分自身の重さがなくなったように感じるから、自分が落下しているのか宇宙の彼方で浮いているのか区別できない。これをもとにアインシュタインは、重力と加速度は等価だ［区別ができない］と考えた。後年これを、「人生で最も幸福な思いつき」と呼んだ。

1916年、アインシュタインはこうした発見をさらに展開させ、「一般相対性理論」を発表する。とりわけ画期的だったのが、膨大な質量を持つ物体はすべて、時空をゆがめ──曲げ、それをわたしたちは、重力として感じているということを示した点だ。この複雑な考えの説明には、ゴムシートの上にのせた重いボールがよく使われる。こ

のボールの重みでシートがくぼんでいるところにボールより軽いビー玉を転がすとビー玉はまっすぐには転がらず、ボールの近くで曲がっていく。ゴムシートの上に転がるビー玉の軌跡がボールのせいで曲がる様子はまるで、重力に引っ張られているように──つまり、地球が太陽に引っ張られているのと同じようにみえる。アインシュタインはさらに、遠くの星から届いた光の軌跡もまた、太陽の近くの時空を通るときに曲がると主張した。アインシュタインのこの予測は、1919年に起きた皆既日食を観測した学者たちによって実証された。そのときある人が、そこでもし間違っているとわかったらどうなっていたかと質問する

と、アインシュタインは大真面目にこう答えた。「そのときは、神を気の毒に思っただろうな。だってこの理論は正しいのだから」

もうひとつ、一般の人の直感に反するアインシュタインの発見がある。時間もまた、膨大な質量の影響を受けることだ。地球のような巨大な質量に近づくほど、時間は遅くすぎる。したがって、山頂にある時計は海面にある時計より、ほんのわずかに速く進む。ということは、地表に近いところに住む人ほど、実質ごくわずかではあるが長生きすることになる。

この理論はたちまち絶賛を浴び、アインシュタインは科学界のスーパースターとなった。幼い息子になぜパパはそんなに有名なのかときかれ、アインシュタインは重力とは時空という素材にできたくぼみだと気づいたいきさつを、思考実験で説明した。そのなかで、目のみえないカブトムシは、曲がった枝の上を歩いていても曲がっていると気づけないことにたとえ、こういった。「カブトムシが気づけなかったことにパパは気づけて、ラッキーだったよ」

一般相対性理論のおかげで、人類はいまだかつてなく宇宙を大きなスケールで理解できるようになった。この理論を使えば、星の誕生からブラックホールまでの現象を説明できる。現に、原子力爆弾や原子力発電所の開発、それに、遠くにある星雲や銀河の質量の特定にも使われている。車や携帯電話で位置情報がわかるのもアインシュタインのおかげだ。GPSは地球の重力場を使って目的地まで、抜群の精度で道案内をしてくれる。

アインシュタインの発見には、科学者ではないわたしたち素人にはいくら説明されてもわからないことがまだまだある。しかし大事なのは、アインシュタインの理論を理解することより、その理論が果たした役割に感動することではないだろうか。

下｜ウィーンで講義をするアインシュタイン。この写真を撮影した1921年にノーベル物理学賞を受賞。ただし、この賞は相対性理論ではなく、「光電効果の法則の発見」の研究に贈られた。

36

ウッドロー・ウィルソンの「14か条の平和原則」

1913年から1921年までアメリカ合衆国大統領を務めたウッドロー・ウィルソンが、将来をみこした平和のための14か条の原案を速記で書きとめたのは、第一次世界大戦終結前だった。1918年1月にはこの平和原則について議会で有名な演説を行い、この構想を1年後にヴェルサイユで開かれたパリ講和会議で提案した。公正で平和な新たな世界の礎になると期待してのことだった。

アメリカ合衆国は、第一次世界大戦に遅れて参戦したが、決定的な影響力を持ち、その後の講和会議で重要な役割を担った。民主党出身で、聖職者のような物腰の、押し出しのいいウッドロー・ウィルソン大統領は、理想主義と強い意志を兼ね備えていた。1917年春にドイツとの戦争に加わったものの、罰則的な講和条件に反対した。終

戦10か月前の1918年1月、ウィルソンはアメリカ議会に14か条からなる平和原則を示し、ドイツが降伏した際に過酷な要求をせずにすませようと考えた。懐の深い熱心な国際主義者だったウィルソンが提案した14か条には、講和の盟約を公開して秘密外交を排除し、海洋航行を完全に自由にし、貿易もできる限り自由化し、ドイツを戦争中

左｜1918年1月、アメリカ議会で演説し、ドイツとの講和条件と、国際連盟設立の計画を打ち出すウッドロー・ウィルソン。

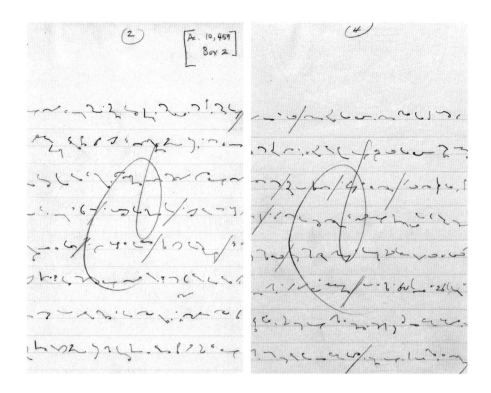

上｜ウィルソンが速記で書きとめた14か条の平和原則を説明する演説原稿。速記を習得したのは、手書き文字を苦手としていたため。

に占領した土地から撤退させる項目が含まれていた。さらにドイツに対して懲罰的な措置はけっして行わないとしていた。「われわれの望みは、ドイツの正当な影響力や権力を阻んだり、そこなったりすることなどではない」。ただドイツには支配ではなく平和と平等の姿勢を受け入れてほしいと考えていた。また、国際連合の前身である国際連盟の計画を発表した。国際連盟の総会の議決は、全会一致を原則とした。ロシアとドイツは、はじめは参加を認められなかった。その後の歴史をみると、ウィルソンの夢は野心的すぎたことがわかるが、彼の意志は固かった。

　ウィルソンの提案に対して、他国の政府やアメリカの著名人の反応は二分してい

た。共和党の元大統領セオドア・ローズヴェルトは14か条を「無意味なもの……外交官のごみ箱に紙くずを増やしただけ」と酷評した。降伏したドイツにとって、ウィルソンの原則に基づいた講和の見通しは魅力的なものだった。一方で、ヨーロッパの抜け目ない戦勝国、とくに戦闘で国土が荒廃していたフランスは、危険なほど弱腰であると考えた。フランスの老獪な政治家ジョルジュ・クレマンソー首相は、自分が死んだら立ったままドイツとの国境をにらみつけるようにして埋葬するようにと相続人たちに指示するほどドイツを忌み嫌って

いた。クレマンソーはウィルソンの懐柔的な態度を、聖人のようでぞっとすると評し、「ウィルソンと話していると、イエス・キリストと話している気分になる」といった。同じくヴェルサイユの講和会議に出席したイギリスのデイヴィッド・ロイド・ジョージ首相は、ウィルソンは親切で率直だが、同時に「機転が利かず、がんこで、虚栄心が強い」とみなした。それでもロイド・ジョージとクレマンソーはウィルソンが提案した国際連盟の設立を支持した。

ウィルソンの14か条の平和原則について、さまざまな意見はあったが、アメリカが会議の主導権を持つことを疑う出席者はいなかった。第一次世界大戦でのアメリカの戦死者は5万3千人で、フランスの100万人、イギリスの75万人とは比べものにならないほど少ないが、軍事面と資金面で勝利に大きく貢献したことは、広く認められていた。休戦の1か月後、1918年12月13日にヨーロッパに到着したウィルソンは大歓迎を受けた。1919年1月にパリで正式な会議が始まり、国家元首としてほかの3人の主要出席者——ロイド・ジョージ、クレマンソー、そしてイタリアのヴィットーリオ・オルランド首相——と顔を合わせたウィルソンは、ほかより数センチ高い議長の席を与えられた。

時には激しい議論も戦わされることになる5か月間の会議が始まると、すぐに意見の相違が明らかになった。イギリスとアメリカは海軍の規模について、そしてドイツから没収し、スコットランドの軍港スカパフローに係留されている戦艦をどうすべきかについて、言い争った。都合のよいことに、講和条約の調印1週間前にドイツの戦艦の乗組員たちが逃げだしたため、緊張は和らいだ。ウィルソンは、フランスとイギリスがドイツに求めようとした戦時賠償金の額に断固として反対した。フランスが求めた440億ポンド（当時の2,200億ドル）は桁がひとつ多いと考え

左｜ヴェルサイユ条約は1919年6月28日、宮殿の鏡の間で調印された。中央に座っているのが、左からイタリア首相ヴィットーリオ・オルランド、アメリカ大統領ウッドロー・ウィルソン、フランス首相ジョルジュ・クレマンソー、イギリス首相デイヴィッド・ロイド・ジョージ。

36｜ウッドロー・ウィルソンの「14か条の平和原則」

ていた。14か条ではっきり示したように、ドイツから領土を奪うことには反対だったが、クレマンソーはライン地方と石炭の産地であるザール地方をフランスが保持することを望んだ。この問題で、クレマンソーは一時激高し、会議場から出ていったが、最終的にはウィルソンもクレマンソーも主な争点において妥協することで落ち着いた。ライン地方についてはフランスが一部のみを15年間保持し、ザール地方の帰属問題については住民——多くがドイツ語話者——が1935年に投票することになった。その結果、圧倒的多数でドイツに帰属することが決まった。

この和平調停でのウィルソンの提案で、その影響力が最も長く残っているのが、国際連盟だ。ロイド・ジョージとクレマンソーは連盟設立にあまり乗り気ではなかったが、ヨーロッパをはじめとする国々では広く歓迎された。しかし国際連盟は短命に終わることになる。1931年に満州で、1935年にエチオピアで、平和維持に効力を発揮できず、第二次世界大戦の勃発も止められなかった。国際連盟は1946年に解散し、代わって国際連合が設立された。

皮肉なことに、アメリカ合衆国は国際連盟への加盟を拒否した数少ない国となった。ウィルソンが根気強くその利点を宣伝したにもかかわらず、上院を通過しなかったのだ。ウィルソンはパリからもどってわずか3か月後の10月に衰弱性脳卒中に倒れ、1924年に死去した。ウィルソンをはじめ、ヴェルサイユの講和会議の出席者たちは、みな最善を尽くした。20年後の第二次世界大戦の悲劇を、彼らのせいにすべきではないだろう。ウィルソンの精神は生き続け、14か条の平和原則はこれからも講和の重要な歴史として残る価値がある。

37
ココ・シャネルのスケッチ

ココ・シャネルはファッションの歴史を書き換え、現代女性の服装に革命をもたらした。彼女のトレードマークである「リトルブラックドレス」、クラシックなノーカラースーツ、斬新なショルダーストラップ付きのハンドバッグは、シンプルさ、動きやすさ、そしてエレガンスをきわめた結果、生まれたものばかりだった。だれもが認める才能、華麗なるサクセスストーリー、きらびやかな恋愛関係によってココ・シャネルは20世紀のアイコンとなった。

「わたしは流行を作っているんじゃない。わたし自身が流行なの」。ココ・シャネルは、才能があり、思ったことをずばり口に出した。そのうえ、話に尾ひれをつけるのもお手のものだった。1883年生まれだったが、実際の年齢よりも10歳若いふりをしていた。12歳のときに母親が亡くなり、困窮したフランス人の父親は娘3人を孤児院に預けたが、のちに彼女はこの厳しい時期を、「溺愛してくれるふたりの叔母のもとですごしたおだやかな時期だった」と語っている。ガブリエル・ボヌール・シャネルが刺繍や裁縫、アイロンがけなどを学んだのはこの孤児院だっ

た。その腕があったからこそ、歴史に残るファッションデザイナーになれたのだ。

女優を目指していたシャネルは、キャバレーで働き、そこでココというニックネームを使い始める。ところがわたしたちにとって幸いにも、シャネルはあまり歌がうまくなかったので、1913年に裕福なイギリス人の恋人、アーサー・「ボーイ」・カペルの資金提供を受けて、ファッショナブルな海辺の町ドーヴィルに帽子店を開いた。

左｜シャネルの「リトルブラックドレス」のスケッチ。1926年10月のアメリカの『ヴォーグ』誌に掲載された。編集者たちはこれを「フォード・ドレス」と名づけ、T型フォードのように、ファッション界における完成度の高い定番になると予言した。

最初は帽子だけだったがやがて、ジャージ素材のセーター、スーツ、ドレスなども手がけ、この店で売るようになった。ジャージ素材はもともと男性の下着に使われていた、機械編みの布地だ。体をしめつけない、実用的なシャネルのデザインは、当時の流行だったコルセットやごてごてしたペチコートからの逃げ道として、女性たちから大歓迎された。「贅沢は快適でなければならない」というシャネルのモットーに、彼女たちも喜んで賛同した。彼女たちは自分を美しくみせ、日常生活のどんな動作でも体を締めつけない、仕立ての良い服を求めていた。『ハーパーズ・バザー』などのファッション雑誌は「シャネルをひとつも持っていない女性は、絶望的に流行遅れである」と書きたてた。

1919年になると、シャネルはパリにオートクチュールの店［いわゆる「クチュールメゾン」、高級仕立て服の店のこと］を開店させた。ここで彼女は、クラシックなツイードスーツ、シックで今なお人気の高いキルティングバッグ、そしてヴォーグが「リトルブラックドレス」と名づけた服を生み出した。同誌が「世界が着ることになるドレス」と書いたこのリトルブラックドレスは、自動車業界におけるT型フォードのように、ファッション界における完成度の高い定番となった。ココ・シャネルは、これまでの体にぴったりと密着したシルエットから女性をみごとに解放し、思わず身につけたくなるようなモダンな服やアクセサリーを発表した。また、自分が作った香水を斬新なデザインの瓶に入れて売り出した最初のデザイナーでもある。

どんなに仕事中心の多忙な日々を送って

上｜1936年のシャネル。当時、クチュールビジネスで4千人の従業員を抱えていた。その3年後の第二次世界大戦が勃発すると、「今はファッションのときではない」といって事業を閉鎖した。

いても、シャネルは情熱的で人々の噂の的になるような恋愛をする時間はみつけていた。恋人には、芸術家のパブロ・ピカソ、作曲家のイーゴリ・ストラヴィンスキー、ロシア大公のドミトリー・パブロヴィッチ、ウェストミンスター公爵などがいた。公爵に求婚されたとき、彼女はこんな高慢な言葉で断ったといわれている。「ウェストミンスター公爵夫人はだれでもなれるけど、シャネルはわたしひとりなの」

しかし、第二次世界大戦中にパリでドイツ外交官のハンス・ギュンター・フォン・ディンクラーゲ男爵と交際したことで、シャネルは自身の評判とビジネスをほぼ失うことになる。戦争で店を閉めざるを得なくなった彼女は、ドイツ軍の軍当局者が泊まっていたリッツホテルに滞在した。フラ

左｜シャネルのデイタイム・ドレス、1919年。ドレスをデザインする際の大原則をこう語っている。「自分がそれを着るだろうか？　答がノーなら、作らない」

ンスの諜報機関の資料によると、シャネルはフォン・ディンクラーゲと協力してドイツのためにスパイ活動をしていたことが明らかになっている。資料には、ヒトラーを称賛した「非道な反ユダヤ主義者」だと記されており、1944年にシャネルをイギリス首

相ウィンストン・チャーチルと会わせるという計画「モデルフート作戦」への関与が書かれている。彼女はウェストミンスター公爵の恋人だった頃からチャーチルを知っており、ドイツとの和平交渉のために彼を説得する役目を担っていた。しかし、会合は

　　　　　　　　　　　　　　　37｜ココ・シャネルのスケッチ

実現せず、戦後パリが解放されると、シャネルはドイツ軍への協力を否定し、すぐにフランスを離れてスイスに移り住んだ。

1954年、70代になったシャネルはパリにもどると、ファッション業界に復帰し、メゾンを再開した。その理由は「退屈で死にそうだったから」とある友人に語っている。フランスのメディアは、彼女を温かく迎えはしなかった。戦時中にドイツ人と親しくしていたことで、彼女にはまだ悪いイメージがつきまとっていたのだ。しかし、世界中のファッション・エディターは、シャネルの復帰を歓迎した。美しく縁取られたノーカラージャケットにエレガントなフレアースカートを合わせたクラシックなスーツの最新デザインが発表されるとすぐに、次々に称賛の声がきこえだした。ココ・シャネルは再び、だれもが認めるファッション界のファーストレディとなった。

1971年の新年早々から、87歳のシャネルは、春のコレクションの準備に余念がなかった。しかし、1月10日、友人と外出したあと、リッツホテルのベッドで亡くなった。彼女がメイドにいった最後の言葉は、「ほら、人はこんなふうに死んでいくのよ」だった。

ココ・シャネルの人生は、演劇や映画、本で今も取り上げられる。ブロードウェイでは、キャサリン・ヘプバーン主演でミュージカル「Coco」が上演されている。嬉々としてみずからを「真面目一徹のしがない仕立て屋」と名乗っていたココ・シャネル。その最大の遺産は、彼女の名前を冠したファッションブランド、そしてその製品が今も成功し続けていることだろう。

下｜1928年、狩猟でウィンストン・チャーチルとその息子ランドルフと一緒にいるシャネル。ふたりはウェストミンスター公爵の紹介で出会い、10年間交際していた。

38
アンネ・フランクの日記

ホロコーストの犠牲となったおよそ600万のユダヤ人の代弁者とされる、アンネ・フランク。1942年から1944年までナチスから身を隠していた十代の少女の日記は、すべての人に語りかけてくる。日記は20世紀を代表する文書として70の言語に翻訳され、販売部数は3千万部を超える。

アムステルダムにあるアンネ・フランクの家を訪れてまず驚くのは、家具がまったくないことだ。1944年8月に、隠れ家にいたアンネや家族を発見したゲシュタポ[ナチスの秘密国家警察]が、ほかの貴重な品々とともにすべて持ち去ったからだ。アンネたちのひそかな暮らしの形跡はわずかしか残されていないが、どれも胸を打つ。父親が成長期の娘たちの身長を記した壁の線、アンネの部屋の壁に貼られた映画スターの写真、アンネが夜空の星をうつしてみていた鏡。そしてガラスケースに大切に収められているのが、アンネがナチスから隠れていた時期に書いていた日記だ。その日記を読んだ人には、この隠れ家がつらくなるほど身近な場所に感じられる。

アンネが赤と白のチェック柄の日記帳をプレゼントされたのは、1942年6月12日、13歳の誕生日のことだった。はじめのうちはその内容は、女子生徒らしい、陽気な噂話にあふれているが、7月8日にアンネはこう書いている。「とつぜん、全世界がひっくり返った」。ユダヤ人の両親が、強制収容所いきをまぬがれるため、アンネと姉のマルゴットをつれて隠れ家に移り住むことにしたのだ。

一家はヒトラーがドイツ首相になった1933年、ドイツからアムステルダムに逃れていた。父親のオットー・フランクは事業を興し、成功していたが、1940

左｜1941年、12歳のときのアンネ・フランク。ドイツがオランダに侵攻すると、ユダヤ人はユダヤ人学校以外に通うことを禁じられた。アンネはアムステルダムのユダヤ人学校に通った。

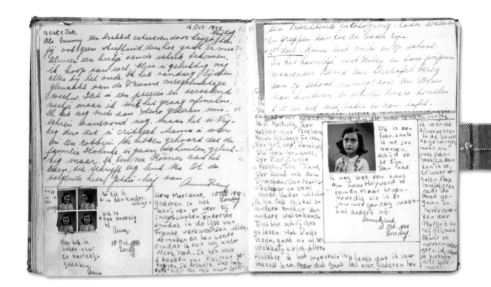

年にドイツがオランダに侵攻し、ユダヤ人
の権利を厳しく制限する法律が公布された
ため、犠牲を強いられた。オットーは会社
が没収されないよう、所有権を非ユダヤ人
の友人たちに移した。1942年7月9日から
1944年8月4日まで、オットーが経営してい
た会社の建物の上にある46平方メートルの
空間で、一家はその友人たちに食料をとど
けてもらいながら、身を潜めていた。

　アンネの日記は、扉のように開閉できる
本棚の奥にある、窮屈な隠れ家での生活の
様子を詳しく教えてくれる。隠れ家には
ファン・ペルス家の3人が加わり、さらに
歯科医のフリッツ・プフェファーもきて、
アンネと同じ部屋で生活するようになる。
あとからきたプフェファーは、ユダヤ人が
狩り集められ、死の収容所に移送されてい
るという悲惨な知らせをもたらす。「……
ぞっとするようないやな話ばかりきかされ
て、わたしたちはそのことばかり考えるよ
うになってしまった」。アンネは狭い場所

上｜1942年10月の日記。手紙や写真が貼られ、ユダヤ人の
同胞が「大勢つれ去られている。ゲシュタポの扱いはひど
く、家畜用のトラックで人々を移送している……」という
ニュースが書かれている。

下｜アムステルダムのアンネ・フランクの家は現在、博物館
になっている。一家は建物の奥にある隠れ家で暮らしてい
た。

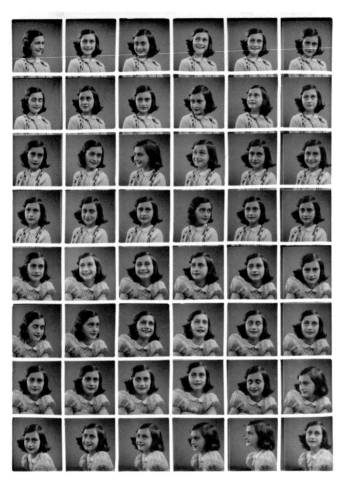

左｜アンネのパスポート用
の写真。隠れ家に移る前
に、父親はアメリカの移民
ビザを申請していた。申請
書は1940年にロッテルダム
のアメリカ領事館がドイツ
軍の爆撃を受けたときに失
われた。

に押しこめられたことで生じるぴりぴりと
した関係についても書いている。「口げん
かをしたせいで、隠れ家のなかはまだ揺ら
いでいる」。外をみたくても「ほこりだらけ
のカーテンがかかった、泥がこびりついた
窓をすかして」しかみられないと嘆いては
いるが、「でも考えてみれば、隠れ場所の
ないユダヤ人に比べれば、ここの暮らしは
天国だって、最後にはいつも思う」。1944
年6月6日には、BBCラジオで連合国のノ

ルマンディー上陸を知った喜びを綴ってい
る。「攻撃が始まった。屋根裏は大騒ぎ。
待ちに待った解放ってこと？　解放のこと
は、いつもみんなで話をしていた。わたし
たちはすっかり元気になり、力がわいてき
た……残酷なドイツ人にずっとおさえつけ
られ、おびやかされてきたから、味方や救
いがくると思うと、とにかくうれしい！
……もしかしたら、9月か10月にはまた学
校に通えるようになるかもしれないってマ

左｜1941年、外出時のフランク一家。1年後にはナチスから身を隠すことになる。
上｜隠れ家の出入り口を隠していた蝶番付きの本棚。オットー・フランクの信頼できる元部下が食料と外の世界のニュースをとどけていた。

ルゴットはいう」

　隠れ家の生活の興味深い記録だけでなく、アンネは日記で秘密も明かしている。なによりも印象的なのは、ペーター・ファン・ペルスへの好意が募っていく様子だ。1942年8月22日、アンネはこの十代の同居人を「神経過敏ななまけ者」と評していた。1943年3月3日には「ペーターはすてき」、1944年4月16日にはじめてのキスをしたあとには「言葉にできないくらい幸せ」と書いている。

　淡い恋とアンネの日記は1944年8月4日にとつぜん終わった。ゲシュタポの下士官とオランダの保安警察官数人が、隠れ家に踏みこんだのだ。密告があったのだろうといわれている。隠れ家にいた8人全員がアムステルダムの拘置所をへて、ヴェステルボルク通過収容所に送られた。9月3日、8人は千人以上の同胞とともに出発した。ヴェステルボルクからポーランドのアウシュヴィッツ強制収容所に移送される最後の列車だった。アンネの母エーディトは1944年

10月にアウシュヴィッツで餓死した。アンネと姉のマルゴットは、ドイツのベルゲン・ベルゼン強制収容所に移送され、ふたりともそこで命を落とした。死因はチフスだといわれている。1945年4月15日にイギリス軍がベルゲン・ベルゼンを解放するわずか数週間前のことだった。

　家族でただひとり、父親のオットー・フランクだけがホロコーストを生きのびた。戦後、アムステルダムにもどったオットーに、かくまってくれていた友人のひとりが、アンネの日記と文書の束を渡した。ナチスが家族を連行したあと、隠れ家の床に散らばっていたものだった。オットーは2年かけて出版社をみつけ、日記は世界的なベストセラーとなった。

　1943年4月5日、アンネは日記にこう書いている。「文章を書いていると、心配ごとをすべて忘れられる。悲しみが消え、元気になれる……いつか、素晴らしい作品を書けるだろうか」。その疑問への答えは、もちろんイエスだ。

アルバート・アインシュタインの
マンハッタン計画の手紙

第二次世界大戦開戦の1か月前。世界的に有名な物理学者アルバート・アインシュタインが、この手紙を当時のアメリカ大統領フランクリン・ローズヴェルトにしたためた。原子力爆弾の開発を早急に検討すべきだと、大統領に進言し、ドイツはこうした兵器の可能性に気づいていると指摘した。この手紙がきっかけで、マンハッタン計画が発足する。この核兵器が広島と長崎の町を破壊した。そして、この戦争を終わらせた。

世界平和の未来に暗い影を落とす最大の脅威——原子力兵器の破壊力ほどおそろしいものはない。その発明の重要なきっかけを作ったのが、アルバート・アインシュタインだ。彼は、アメリカ初の原子力爆弾設計チームで中心的役割を果たしたわけではない。ただし、

当時のアメリカ大統領ローズヴェルトにこの兵器の破壊力を警告したこの手紙が、核兵器開発を進めるきっかけとなったことは間違いない。

原子力開発計画は、アインシュタインの科学への偉大な貢献、特殊相対性理論(154ページ)から10年の間に始まった。1911年

上｜マンハッタン計画の公文書で使われていた印章。キノコ雲に包まれている。
左｜ガス拡散法によるウラン濃縮工場。テネシー州オークリッジ。ここで、人類初の原子力爆弾の放射性物質が作られ、広島に投下された。

Albert Einstein
Old Grove Rd.
Nassau Point
Peconic, Long Island

August 2nd, 1939

F.D. Roosevelt,
President of the United States,
White House
Washington, D.C.

Sir:

Some recent work by E.Fermi and L. Szilard, which has been communicated to me in manuscript, leads me to expect that the element uranium may be turned into a new and important source of energy in the immediate future. Certain aspects of the situation which has arisen seem to call for watchfulness and, if necessary, quick action on the part of the Administration. I believe therefore that it is my duty to bring to your attention the following facts and recommendations:

In the course of the last four months it has been made probable - through the work of Joliot in France as well as Fermi and Szilard in America - that it may become possible to set up a nuclear chain reaction in a large mass of uranium, by which vast amounts of power and large quantities of new radium-like elements would be generated. Now it appears almost certain that this could be achieved in the immediate future.

This new phenomenon would also lead to the construction of bombs, and it is conceivable - though much less certain - that extremely powerful bombs of a new type may thus be constructed. A single bomb of this type, carried by boat and exploded in a port, might very well destroy the whole port together with some of the surrounding territory. However, such bombs might very well prove to be too heavy for transportation by air.

poor ores of uranium in moderate ....
Canada and the former Czechoslovakia,
nium is Belgian Congo.

y think it desirable to have some
he Administration and the group
ons in America. One possible way
entrust with this task a person
perhaps serve in an inofficial
following:

ments, keep them informed of the
ecommendations for Government action,
blem of securing a supply of uran-

work, which is at present being car-
s of University laboratories, by
ired, through his contacts with
e contributions for this cause,
peration of industrial laboratories
which have the necessary equipment.

I understand that Germany has actually stopped the sale of uranium from the Czechoslovakian mines which she has taken over. That she should have taken such early action might perhaps be understood on the ground that the son of the German Under-Secretary of State, von Weizsäcker, is attached to the Kaiser-Wilhelm-Institut in Berlin where some of the American work on uranium is now being repeated.

Yours very truly,
A. Einstein
(Albert Einstein)

左・下｜アインシュタインからローズヴェルト大統領への手紙。ここでは、最新の核研究が大きく進歩を遂げ「いまだかつてないタイプのきわめて強力な爆弾がこれから作られるかもしれない」と述べていた。最後の段落では、ドイツが同じような研究を進めていると警告している。

にはアーネスト・ラザフォードが、原子は非常に小さな粒子からできていることを明らかにした。その後、ラザフォードの後を継いだ科学者が原子の中心部分には原子核があり、陽子と中性子がいくつも集まって構成されていることを発見した。そこに含まれる陽子と中性子の数が多いほど、原子は重くなる。それに、自然界のなかでもとくに重いある元素のひとつが、非常に不安定だとわかった。その元素とは、ウラニウムだ。1939年になると、ウラニウムの原子核を分離させる——この現象を核分裂と呼ぶ——と核分裂連鎖反応が起き、そこから想像を絶する莫大なエネルギーが生じるこ

とに研究者は気づいた。そのエネルギーは、今まで作られたどの爆弾の何千・何万倍もの破壊力を持つ爆発を起こせる。

この研究に深く関与した科学者が、アメリカのコロンビア大学にいたハンガリー人レオ・シラードとイタリア人エンリコ・フェルミだ。ふたりの懸念。それは、勢力拡大に拍車をかけるナチスドイツも、この世紀の大発見に気づくリスクだ。そこでふたりはこの発見を、アメリカ政府に提案することにした。ふたりの意見は一致していた。アルバート・アインシュタインのほかに、アメリカ大統領宛の手紙に署名するのにふさわしい人物はいない。アインシュタ

インはこれに賛同した。シラードがアインシュタインのために文面を用意した。アインシュタインは1939年8月2日に最終案の手紙に署名した。彼らはフランクリン・ローズヴェルトに必ずこの文書を読んでもらえるよう、大統領の側近に直接手渡してもらうことにした。ローズヴェルトの経済ブレインのひとり、アレクサンダー・ザックスはこの手渡す役を引き受けた。ところが第二次世界大戦が開戦したため、ザックスが大統領と直接面会できるまで2か月かかる。10月11日、ローズヴェルトは大統領執務室を訪れたザックスに手紙を読み上げさせた。大統領はすぐに動いた。アインシュタインに宛てた返事には、この手紙を読み、「ウラニウム元素に関するご提案について徹底的に調査する」諮問委員会の設立を決めたと述べてあった。

この計画にローズヴェルト大統領が積極的に乗り出すと、科学的研究は急ピッチで進みだす。1942年夏に大統領はこの計画の統制権をアメリカ陸軍に移し、軍はマンハッタン工兵管区（MED）を創設した。当初本部がニューヨーク市にあったため、この計画は「マンハッタン計画」とも呼ばれた。計画が大きく前進したきっかけは、モード報告書

左｜1945年8月9日、アメリカ軍が長崎に原爆を投下したときのキノコ雲。この爆弾には、TNT換算で22キロトンの威力があった。

だ。これは、イギリスの研究者で構成されるモード委員会が、同盟国アメリカと共有する最高機密の発見を報告したものだ。そこには、ウラン235の臨界量わずか15キログラムでとてつもない破壊力を持つ爆発を起こせること、しかも航空機で運搬できるほど軽量な爆弾に搭載できることが示されていた。かくして、世界大戦の覇者となる兵器を作るレースが始まった。金に糸目はつけない。時間が最優先だった。1942年の冬、ヒトラーの権勢が絶頂期を迎えると、アメリカはマンハッタン計画に約20億ドルの国家資金を投じた。ロバート・オッペンハイマーが研究者を統括し、当時陸軍准将だったレズリー・リチャード・グローヴスが軍部を率い、テネシー州オークリッジとワシントン州ハンフォードに原爆製造のための広大な原子力施設群が建設された。実験用地はニューメキシコ州のロスアラモスに作られた。

原子爆弾の世界初の実験は1945年7月に実施され、成功した。その翌月、8月6日と9日に広島と長崎に相次いで原爆が落とされ、日本との戦争を終わらせた。その惨状の甚大さと奪われた命の圧倒的な数は、戦争の概念を根底から変えた。その後20世紀から21世紀になると、アメリカ以外の国々も核兵器製造レースに加わった。核の脅威によって、世界を巻きこむ大戦を多くの国

上｜秘密軍事基地ロスアラモス研究所の所長オッペンハイマー教授とマンハッタン計画の軍部責任者グローヴス少将（当時）。1945年に行われた史上初の原爆実験で実験用タワーが建っていた爆心地を視察している。

家が回避できているものの、一部の国家や集団が壊滅的な応酬をはじめるリスクはますます大きく、今後も警戒が必要だ。

1955年にアインシュタインはこの世を去るが、生前から核兵器の危険性を予見していた。日本への原爆投下を断固非難し、ローズヴェルト大統領に宛てた手紙を悔やんでこういった。「ドイツは原爆開発を成し遂げないと知っていたらわたしは指一本、上げなかっただろう」

D-Dayの地図

D-Day——この日は、西側連合国軍が第二次世界大戦で輝かしい勝利を刻んだ日だ。連合国による急襲を計画したこの地図は、イギリスの参謀本部地理課が準備した。地図には、フランスのノルマンディー地方にある5つの海岸に最初に上陸する部隊名が記されている。青は機雷が除去された進入路、赤は連合軍の主力砲撃艦の位置を示す。

D-Dayの大掛かりな上陸作戦の成功により、ヒトラー率いるナチス・ドイツ軍に対する勝利は、希望から確信に変わった。

　史上最大規模の上陸作戦部隊で西側の海と空から上陸しヒトラーを伐つという計画は、とてつもない賭けだった。1944年6月4日、およそ15万の兵と6千の船からなる凄まじい大部隊が、イギリス南端で出航の合図を待っていた。これからイギリス海峡を渡り、ドイツ占領下のフランスの海岸に上陸するのだ。天候は大荒れだが、予報では6月6日に一時小康状態になるはずだった。前回の上陸作戦では大きな損失が出ている。チャーチルは最初の数時間で2万の兵を失うのではないかと危惧し、参謀であり陸軍最高司令官であるアラン・ブルックは、「作戦全体に不安を感じていた」。やってみなければわからないことが多いなか、連合軍による派手な欺瞞作戦——フォーティテュード作戦——の効果も未知数だった。この欺瞞作戦の目的は、連合軍の上陸地点がフランス北東部のカレー付近であって、南西寄りのノルマンディーの海岸では

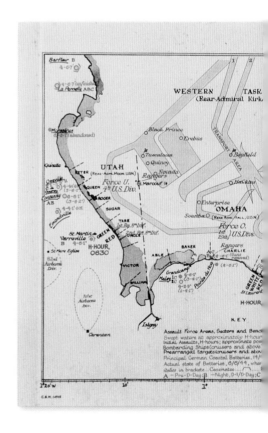

ないとドイツ側に思わせることだった。

　連合国軍最高司令官、ドワイト・アイゼンハワー将軍は、厳しい選択を迫られていた。天候の一時回復が期待できる6日の決行か、あるいは最長2週間の延期か。6月5日午前4時、決断が下された。アイゼンハワーは、アメリカ、カナダ、イギリスの部隊からなる大連合軍に翌日の決行を告げた。「われわれは完全な勝利以外受け入れない」

　その夜、2万4千の空挺部隊がパラシュートやグライダーでノルマンディーに上陸し

た。アメリカ軍の上陸先は西のシェルブール半島、イギリス軍は80キロメートルにわたる戦線の東端にあるウィストゥルアム付近だ。視界不良のため多くの兵が目的地を見失ったが、アメリカ軍は要衝の町であるサント＝メール＝エグリーズを占領し、イギリス軍は降下した一帯の東側にある川と運河にかかる2本の重要な橋を奪った。戦線の両端で繰り広げられた空挺部隊による勇敢な戦いの話は数え切れないほどある。

　6月6日の早朝までに、1,500の部隊を乗せた200隻近い軍艦と、補給船、4千の揚陸

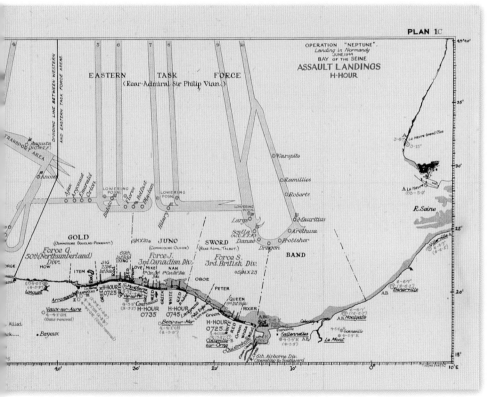

上｜イギリスの参謀本部地理課が準備したD-Day奇襲攻撃の全体図。緑色はドイツの海岸砲、青は機雷を除去した水路で、上陸用舟艇の進入経路である。赤は連合軍の主力砲撃艦の位置を表し、西はユタ海岸のアメリカ第4師団に始まり、東端はソード海岸のイギリス第3師団となっている。

上左｜ドイツ陸軍元帥カール・ルドルフ・ゲルト・フォン・ルントシュテット（68歳）、西方総軍司令官。
上右｜ドイツ陸軍元帥アーヴィン・ロンメル。「北アフリカの砂漠の狐」として知られる。B軍集団の指揮官として、ノルマンディー沿岸の連合軍急襲を迎え撃つはずだった。
下｜D-Day侵攻を計画するイギリスのテッダー空軍大将、アイゼンハワー総司令官、モントゴメリー大将。テッダーとモントゴメリーは、のちにD-Day後の作戦をどうするかで意見が割れた。

艇も海を渡ってきた。「ピカデリーサーカス広場のようだった」[混雑した賑やかな場所のたとえ]とイギリスの軍艦グラスゴーの将校はいう。状況は混沌としていた。海は荒れ、船酔いする者が続出する。もうすぐ上陸という場面では、複数の戦車の乗員が溺死した。水陸両用戦車に取りつけたキャンバス地の特製浮揚クレードルが機能せず、深い海に沈んでしまったのだ。船から出撃していく何万もの歩兵にとって、生き残れるかどうかは戦いの技術だけでなく運の問題でもあった。彼らは水しぶきを上げながら身を隠す場所のない砂浜に上がっていった。西方では2万3千のアメリカ兵がユタ海岸への上陸に成功した。死傷者は210人。8キロメートル東のオマハ海岸では、一時は想像を絶する反撃があった。アメリカの第1歩兵師団は2千以上の兵を失い、負傷者の数はそれを上回った。オマハでのドイツ軍の守りはほかのどの地点よりも効率的かつ強固で、連合軍は大きなダメージを受けたが、その日の終わりまでに3万4千のアメリカ兵が海岸からじゅうぶん離れたところに海岸堡を築いた。

イギリス軍とカナダ軍はゴールド、ジュノー、ソードの各海岸に上陸した。地図の東側部分である。イギリス軍の死傷者は3千人、カナダ軍は1千人。ドイツ軍の反撃は場所によってばらつきがあった。あるカナダ人の中隊長は、敵の砲火を避けようとしたカナダの戦車が味方の死傷者の上を進むおそろしい光景を目にした。彼は手榴弾でキャタピラーを破壊し、かろうじて戦車を止めた。

上陸作戦の成否は、いまや敵の反撃力次第だった。最初の24時間が鍵だったが、連合軍はドイツ側の3つの大きな過失に助けられた。まず、ドイツ第7装甲師団の指揮

官、ヒトラーの部下で非常に有能な陸軍元帥のひとりであるアーヴィン・ロンメルは、ドイツの自宅で妻の誕生日を祝っていた。そして、ヒトラー自身は朝のうちは眠っていて、部下たちも上陸が陽動作戦だと思いこんでいたため起こしにいかなかった。連合軍の主力はカレー周辺を急襲すると考えられていたので、ドイツ軍の部隊も戦車も、ほとんどがそちらに集結していたのだ。さらに、やっと起きてきたヒトラーは、その時点でも西への軍の移動を許可せず、大規模な装甲部隊を派遣することもしなかった。装甲部隊を投入していたら連合軍を粉砕できたかもしれない。第21機甲師団の精鋭部隊が反撃したが、あまりに遅く小規模だった。

初日の攻撃目標はあまりに野心的すぎた。達成できたのは、ほんのわずかだ。連合軍が10キロメートル内陸の町カーンに達したのは、7月になってからのことである。しかし、6月6日に確保した海岸堡は足がかりとしてみごとに機能した。ナチ占領下にあったフランス連合軍は快進撃を続け8月25日にパリを解放した。1945年2月にはライン川に到達している。勇気、決断力、D-Dayの綿密な計画によって、西側連合軍は勝利への圧倒的な一歩を刻んだ。東欧でのソ連の勝利もあって、1945年5月にドイツは敗北した。

下｜アメリカ軍の上陸用舟艇から降りる兵士と車両。上空にはドイツ空軍の反撃を防ぐ防空気球がみえる。D-Dayでのアメリカ軍死傷者は7千人で、その多くが激戦地となったオマハ海岸の兵士だった。

チャーチルとスターリンの
パーセンテージ協定

第二次世界大戦末期の1944年10月、イギリス首相ウィンストン・チャーチルはソヴィエト連邦指導者ヨシフ・スターリンとのモスクワでの会談で、このメモを手渡した。スターリンは一瞥し、右上に大きくチェックマークをつけて、同意を示した。世界の外交史においてまれにみる、衝撃的な一瞬の出来事だった。ナチス・ドイツが力を失うなか、ふたりが合意したのは、東欧の大部分の分割だった。

チャーチルとスターリンの会談が行われたのは1944年秋、西側連合国によるフランスの解放が始まってわずか4か月後だった。東部戦線では、ソ連がドイツ軍をベルリンに押しもどすため、大きな犠牲をともなう戦いをすでに3年も続けていた。ソ連軍は8月にルーマニアを、9月にブルガリアを占領し、ハンガリー侵攻に備えていた。ヒトラーの敗北はだれの目にも明らかで、人々

の関心は解放後のヨーロッパの行く末に移っていた。

　すでにソ連が占領した国について、イギリスとアメリカが影響力を主張するのは難しいということは、チャーチルにはわかっていた。しかし、イギリス軍がドイツ軍と戦って守ったギリシアについては影響力を保持し、共産主義勢力による支配を阻止したかった。また、ひと筋縄ではいかないハ

左｜ウィンストン・チャーチルとヨシフ・スターリン、そしてイギリス外相アンソニー・イーデン。1944年10月のモスクワでの会談にて。

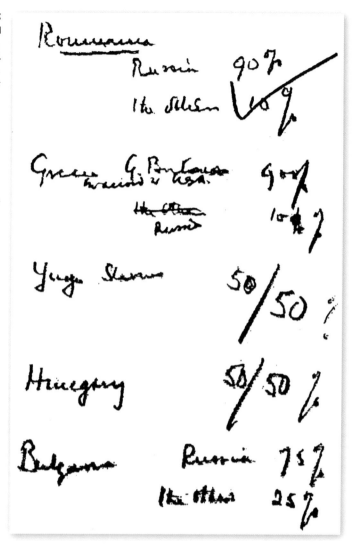

右｜戦後の東南ヨーロッパの支配について大まかな割合を示す走り書きのメモ。モスクワでチャーチルがスターリンにわたしたもの。チャーチルはのちにこれを「悪だくみ文書」と呼んだ。

ルーマニア
　ソ連　90%
　その他　10%
ギリシア
　イギリス　90%
　アメリカ合衆国も含む
（「その他」の文字が横線で消されている）
　ソ連　10%
ユーゴスラヴィア
50/50%
ハンガリー
50/50%
ブルガリア
　ソ連　75%
　その他　25%

ンガリーのホルティ・ミクローシュ政権と、ユーゴスラヴィアのパルチザンの司令官ヨシップ・チトーから、戦後も西側の影響力を維持してほしいとの意向を受けていた。そういったもろもろが、10月9日、クレムリンでスターリンとの会談に臨んだチャーチルの念頭にあった。チャーチルは

回顧録のなかで、（間違いなく1杯か2杯のウィスキーのあとで）スターリンにこう提案したと書いている。「バルカン半島の問題に片をつけてしまおうではないか……そちらがルーマニアで90%の影響力を、こちらがギリシアで90%の影響力を持ち、ユーゴスラヴィアについては50%ずつというの

上｜第二次世界大戦末期、ポーランドを進軍するソ連の戦車。ソ連の東欧支配は45年続いた。西側連合国にはそれを阻止する気概も能力もなかった。

は、どうだろう」。そしてのちにみずから「悪だくみ文書」と呼んだメモをスターリンの目の前にすべらせた。そこに書かれていたのは、東南ヨーロッパの5か国に対してそれぞれが持つことになる影響力の割合だった。ハンガリーは50％ずつ、ブルガリアについてはソ連が75％でイギリスが

25％という提案も書かれていた。チャーチルの分割案を受け入れたことを示すチェックマークをスターリンが記したあと、長い沈黙があったとチャーチルは述懐する。「ようやくわたしは口を開いた。『非常に多くの人の運命を左右する問題を、われわれがこんなに簡単に決めてしまったとなると、不誠実だと思われかねないね。この紙は燃やしてしまおう』。『いや、持っていてくれ』とスターリンはいった」

　　　　　　　　　　　　41｜チャーチルとスターリンのパーセンテージ協定

大胆にもスターリンとそのようなとり決めをしたことが気恥ずかしかったチャーチルは、アメリカ大統領ローズヴェルトにはあいまいな言葉で伝えた。「イギリスとソ連の間で仮合意があったが、それ以外はすべて今後の話し合い次第だ」とだけいって安心させた。チャーチルには、地政学上のふたつの新たな現実がよくみえていた。ソ連が東欧で共産主義体制を広めようとしていること、そしてイギリスが世界で急速に覇権を失い、アメリカの後塵を拝しつつあることだ。チャーチルにできる最善の策は、ギリシアでの影響力を保持することだった。

チャーチルと外務大臣のアンソニー・イーデンはさらに10日ほどモスクワにとどまり、結局スターリンと外務人民委員のヴャチェスラフ・モロトフは、チャーチルの最初の提案より多くを手にした。ソ連の影響力のさらなる拡大を勝ちとったのだ。ハンガリーで50％、ブルガリアで75％と提案された影響力は、どちらも80％に引きあげられた。イギリスは両国ですでにソ連が影響力を持っている現実を認めるしかなかったが、ギリシアでは90％の影響力を保持することができた。意外なことに、スターリンはその約束を守った。協定を尊重したのか、それともほかの要因があったのかは

ともかく、それ以来、ギリシアの共産主義革命運動を支援することも、ユーゴスラヴィアなど周辺国の革命支持者たちに力を貸すこともけっしてなかった。

この協定で、チャーチルは東南ヨーロッパでスターリンを牽制することに一定の成功を収めたといえるかもしれないが、チャーチルも、ローズヴェルトも、東欧最大の国家であるポーランドでは、ドイツからの解放を進めていたソ連の影響力を止めることはできなかった。モスクワでの会談で、チャーチルはポーランド亡命政府首相スタニスワフ・ミコワイチクに会うようスターリンを説得したが、失敗に終わった。戦後のポーランド政府は、東部の領土の大部分をソ連に譲らなくてはならないとスターリンは主張し、それをミコワイチクが拒否すると、スターリンは和解の努力をやめた。ソ連政府はすでにポーランドの共産主義グループであるルブリン委員会と近い関係にあり、次のポーランド政権を担わせるつもりでいたのだ。ソ連軍がポーランドを通り、ベルリンを目指すなか、歩み寄りを求めることはローズヴェルトにもチャーチルにも難しかった。

第二次世界大戦と終戦後の講和会議の結果、ソ連は東欧を完全に──まさに100％──支配することになった。1946年にチャーチル自身が書いている。「バルト海に面するシュチェチンからアドリア海に面するトリエステまで、鉄のカーテンがヨーロッパ大陸を分断した」。パーセンテージが書かれたメモは、現在イギリス国立公文書館に保管され、歴史の興味深い1ページとなっている。

国際連合憲章

国際関係史において最も野心的な約束である、国際連合憲章。二度の世界大戦で疲弊した世界の平和と安全を守ると同時に、人権および政治的・社会的権利の保障を目指すものだ。アメリカ大統領ハリー・トルーマンはこれを、「より良い世界を築くための確固とした枠組み」と呼んだ。

国際連合憲章は、その崇高な目的を冒頭で力強く要約。「われら連合国の人民は、われらの一生のうち二度まで言語に絶する悲哀を人類に与えた戦争の惨害から将来の世代を救い、基本的人権と人間の尊厳及び価値と男女及び大小各国の同権とに関する信念を改めて確認」すると掲げている。

　世界の平和と安全を守る実効性のある組織を設立する計画は、第二次世界大戦中に持ち上がった。第一次世界大戦戦後の平和

を維持するという目標をかなえられなかった国際連盟に代わる組織だ。1941年、アメリカ合衆国大統領フランクリン・ローズヴェルトとイギリス首相ウィンストン・チャーチルが大西洋憲章を発表。新たな組織の設立を提案した。計画は1942年に実現し、ドイツ、イタリア、日本と戦った連合国側の26か国により「国際連合」が立ち上げられた。新たな組織の設立にはアメリカ合衆国、イギリス、ソヴィエト連邦がかかわ

左｜サンフランシスコ会議の「運営委員会」で発言するアメリカ合衆国の国務長官エドワード・ステティニアス。会議に参加した各国代表がテーブルを囲んでいる。

CHARTER OF THE UNITED NATIONS

**WE THE PEOPLES OF THE UNITED NATIONS
DETERMINED**

to save succeeding generations from the scourge of war, which twice in our life-time has brought untold sorrow to mankind, and

to reaffirm faith in fundamental human rights, in the dignity and worth of the human person, in the equal rights of men and women and of nations large and small, and

to establish conditions under which justice and respect for the obligations arising from treaties and other sources of international law can be maintained, and

to promote social progress and better standards of life in larger freedom,

AND FOR THESE ENDS

to practice tolerance and live together in peace with one another as good neighbors, and

to unite our strength to maintain international peace and security, and

to ensure, by the acceptance of principles and the institution of methods, that armed force shall not be used, save in the common interest, and

to employ international machinery for the promotion of the economic and social advancement of all peoples,

**HAVE RESOLVED TO COMBINE OUR EFFORTS
TO ACCOMPLISH THESE AIMS.**

Accordingly, our respective Governments, through representatives assembled in the city of San Francisco, who have exhibited their full powers found to be in good and due form, have agreed to the present Charter of the United Nations and do hereby establish an international organization to be known as the United Nations.

り、中国が助言した。1944年8月、これら4か国の代表がワシントン郊外にある邸宅ダンバートン・オークスに集まり、基本構想を話し合った。そして重要な意思決定を行う機関をふたつ設けることで合意した。ひとつはすべての加盟国からなり、立法権を持たない総会。もうひとつは安全保障理事会で、ここで決められたことはすべての加盟国に義務づけられる。加盟の条件や投票のルールなどで意見が分かれたが、1945年2月のヤルタ会談で合意にいたった。

2か月後、太平洋戦域では依然として激しい戦闘が続くなか、50か国の代表がサンフランシスコに集まって国際連合設立に関する国際会議を開き、国連憲章の詳細を練り上げた。すでに合意した大まかな基本構想については支持されたが、とくに平和維持の核となる安全保障理事会の権限と構成については激論が戦わされた。国連憲章の第6章は、安全保障理事会が「交渉、審査、仲介、調停、仲裁裁判、司法的解決……」によって国際紛争を解決するとしている。

それがうまくいかなかった場合、第7章で、「国際連合加盟国の空軍、海軍又は陸軍による示威、封鎖そのほかの行動」といった軍事的行動を取ることができるとしている。

安全保障理事会は5か国の常任理事国——アメリカ合衆国、イギリス、フランス、ソヴィエト連邦（1991年からロシア）、中華民国（1971年から中華人民共和国）——と6か国（のちに10か国に増える）の非常任理事国からなる。常任理事国は、すべての決定において拒否権を行使できるため、小国の警戒

を招いた。「五大国」のいずれかが他国を脅かした場合、拒否権を使って安全保障理事会に勧告を出させない恐れがあるからだ。しかし最終的には、拒否権廃止の動きより、世界平和という目的が優先された。

出席者たちはそのほかの機関の設立についても合意した。経済的・社会的な問題で国際協調を目指す経済社会理事会や、国家間の法律的紛争を解決する国際司法裁判所などだ。

国際連合憲章の最終案は、1945年6月25日、サンフランシスコのオペラハウスで採

左｜1945年6月26日、サンフランシスコで開かれた国際機関に関する連合国会議の閉会式で演説するアメリカのハリー・トルーマン大統領。
次ページ｜国際連合憲章に記された中国代表とソ連代表の署名。中国が1番目に署名する栄誉を与えられたのは、アジアの強国日本から最初に侵略を受けたため。

42｜国際連合憲章

決された。この種の採決は挙手で行うのが習わしだ。しかしこのときは、賛成の場合は起立するよう求められた。すべての代表者とスタッフ、メディア関係者、そして3千人の傍聴者が残らず起立した。憲章は大きな歓声とともに満場一致で承認された。

大きな期待を受けて誕生した国際連合は、厳しい監視の的となった。安全保障理事会の拒否権は、とくに効果をそこなうものとして批判される。たとえばロシアはシリア内戦時の非難決議に拒否権を発動した。アメリカ合衆国はイスラエルを非難する決議にくり返し拒否権を発動している。また、安全保障理事会は優柔不断だとされた。とりわけ、1994年にルワンダで、またその9年後にダルフールで大量虐殺が起きたとき、なにも行動を起こさなかったため、批判された。

一方で、1950年に北朝鮮が韓国に侵攻した際、安全保障理事会は非難決議を首尾よく通過させ、朝鮮戦争に国連軍が介入する道筋をつけた。1990年にサダム・フセイン大統領率いるイラクがクウェートに侵攻した際にも非難し、多国籍軍の活動を可能にした。そのほかの分野でも、国際連合は数多くの実績を残している。平和維持活動、紛争後の問題解決と復興、戦争犯罪人の訴追、人権の保護、女性と子どもの支援、難民や被災者の援助、飢餓の撲滅と気候変動への取り組みなどが挙げられる。

今、戦闘で死ぬ人は歴史上最も少なくなっている。核戦争の脅威や相互確証破壊が影響しているのはたしかだが、国際連合が果たしてきた役割も大きい。ベトナムやシリアなどの紛争による惨状をみれば、国連憲章の「戦争の惨害から将来の世代を救」うという誓いが傷つけられたことがわかるが、国際連合と関係機関が、世界をより安全でより良い場所にしてきたことに疑いの余地はない。

43

DNAの構造

生物物理学者のジェームズ・ワトソンとフランシス・クリックが1953年に発表したDNAの構造に関する論文の最終稿は、20世紀の方向性を決定づける科学論文のひとつだ。この文書は、すべての生物の特徴を決定する遺伝子コードを解き明かす。生命のしくみの画期的な発見は、生物学の研究に新たな局面を開き、DNAプロファイリング、ヒトゲノムのマッピング、バイオテクノロジー産業などに大きな進歩をもたらした。

1953年2月28日、イギリスのケンブリッジにあるパブ「イーグル」の常連客がのんびり昼食をとっていると、ふたりの男が駆けこんできて自分たちは「生命の秘密を発見した」と叫んだ。ジェームズ・ワトソンはのちに、自分がフランシス・クリックとともにとらえどころのなかったDNAの構造を

ついに解明したというニュースを伝えたときのことを、このように振り返っている。ふたりは1年半前からこの生命のマスター分子のモデルを作ろうと試行錯誤していたが、ついに完成したのだ！　その2か月後には『ネイチャー』誌に1ページの論文が掲載され、そこにはクリックの妻であり学校で美術を専攻していたオディールが描いたDNA分子のすっきりとした図が添えられた。論文に掲載する名前の順番は、コインを投げて決めた。

デオキシリボ核酸(DNA)の存在と組成については、ほかの研究者がすでにいくつか重要な発見をしていた。しかし、ワトソンとクリックは直感と意志の強さで、これらの発見を筋道立てた理論にまとめ上げた。1869年、スイスの

左｜ジェームズ・ワトソン(左)とフランシス・クリック(右)。自分たちが作ったDNA分子の模型の前でポーズをとる。

右｜ワトソンとクリックが手がけた、デオキシリボ核酸の構造に関する論文の最終草稿。1953年4月25日に科学雑誌『ネイチャー』に掲載された。

Final version

A STRUCTURE FOR D.N.A.

for 9 Political Place 11 ph

the salt of

We wish to suggest a structure for deoxyribose nucleic acid (D.N.A.). This structure has novel features which are of considerable biological interest.

A structure for nucleic acid has already been proposed by Pauling and Corey.[1] They kindly made their manuscript available to us in advance of publication. Their model consists of three intertwined chains, with the phosphates near the fibre axis, and the bases on the outside. In our opinion this structure is unsatisfactory for two reasons:

    1. We believe that the material which gives the X-ray diagrams is the salt, not the free acid. Without the acidic hydrogen atoms it is not clear what forces would hold the structure together, especially as the negatively charged phosphates near the axis will repel each other.

    2. Some of the van der Waals distances appear to be too small.

Another three-chain structure has recently been suggested by Fraser.[9] In his model the phosphates are on the outside, and the bases on the inside, linked together by hydrogen bonds. This structure as described is rather ill-defined, and for this reason we shall not comment on it.

We wish to put forward a radically different structure for the salt of deoxyribose nucleic acid. This structure has two helical chains each coiled round the same axis (see figure). We have made the usual chemical assumptions, namely that each chain consists of phosphate di-ester groups joining β-D-deoxyribo-

医師フリードリッヒ・ミーシャーが、包帯についた膿からDNAという物質をはじめて発見した。1940年代になると、DNAは「形質転換因子」と同定された。これはつまり、Aという細菌細胞から抽出したDNAをBという細菌細胞に与えると、B細菌細胞にA細菌細胞の特性がもたらされる（B細菌細胞を「形質転換」させる）ことを指す。科学者は、DNAには生体内のほとんどの細胞の成長や発達をつかさどる指示が含まれていると考えていたが、目の色や血液型などの形質に関する情報を世代間でどのように伝えているのかはわかっていなかった。ワトソンとクリックはその謎を解くために、DNAがどのような形をしていて、どのように情報を暗号化しているのかを明らかにしようとした。

その当時のふたつの発見が、彼らの研究に決定的な影響を与えた。ひとつは、アメリカの化学者ライナス・ポーリングがタン

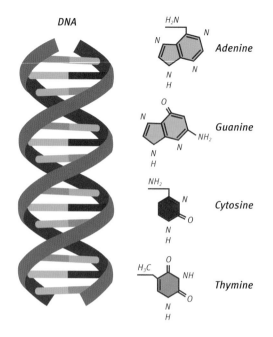

DNA

Adenine

Guanine

Cytosine

Thymine

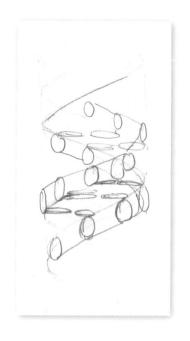

パク質の構造を物理的にモデル化した先駆
的な研究だ。ワトソンとクリックはこの研
究を取り入れ、大きな効果をあげた。しか
し、ふたりにとって最大のラッキーチャン
スは、DNA繊維のX線画像をみたこと
だった。その写真には、DNA繊維は2本の
鎖が二重らせん状にからみあったコークス
クリュー状のものであることが示されてい
た。撮影したのは、イギリスの科学者ロザ
リンド・フランクリンとモーリス・ウィル
キンスだ。ウィルキンスはフランクリンに
無断でこの写真をワトソンとクリックにみ
せた。このことがのちに、フランクリンの
貢献が正しく認められていないという非難
につながる。その画像をワトソンがみた瞬
間、彼はその重要性を理解した。そのとき
のことをこう述懐する。「口がぽかんと開
き、脈が乱れた」

　大まかな形が二重らせんだとわかったの

上左｜DNAのらせん状の「はしご」。対になった4つの窒素
含有塩基──アデニン（青）とチミン（薄紫）、グアニン（黄）
とシトシン（濃紫）からできている。
上右｜DNAの二重らせん。フランシスの妻であり、学校で
美術を専攻したオディール・クリックが描いた鉛筆のスケッ
チ。『ネイチャー』に掲載されたDNAの構造に関する論文に
添えられた。

で、ワトソンとクリックはその構造の詳細
なモデルを作ることができた。ふたりは
DNAを構成する化学物質（塩基）を段ボール
で切り抜き、机の上で動かしながら組み合
わせてみた。何度も失敗を重ねたが、つい
にDNAがらせん状の「はしご」で構成され
ているモデルをひねり出した。リン酸と糖
の分子が外側にあり、アデニン（A）とチミ
ン（T）、グアニン（G）とシトシン（C）の4つの
窒素含有塩基が対になっている（上図参
照）。これらたった4つの塩基が数十億個並
ぶことで、生物の特徴を決める情報が得ら
れる。遺伝子はDNAの一部であることが

知られている。そのひとつひとつが、体のはたらきを決定する複雑な化学物質でできた特定のタンパク質を作り出す。たとえば、ヘモグロビンは血液中の赤いタンパク質、ケラチンは毛髪や皮膚、爪などに含まれるタンパク質だ。ちなみに2003年に発表された「ヒトゲノム計画」によると、人体には2万個以上の遺伝子があるという。これらの遺伝子のなかにあるタンパク質はDNAの長い鎖にきっちりと巻き付かれ、人体のほとんどの細胞核にみられる23対の染色体に収まっている。

ジェームズ・ワトソンとフランシス・クリックは、DNAのX線画像をふたりにみせたモーリス・ウィルキンスとともに、1962年にノーベル医学・生理学賞を受賞した。ただし、ウィルキンスの同僚であったロザリンド・フランクリンの貢献は認められなかった。彼女はその4年前にがんで亡くなっていた。ノーベル賞は候補となったときに生存している人にしか与えられないのだ。

ワトソンとクリックによる発見の遺産は、めざましいものばかりだ。DNAプロファイリングは科学捜査技術を変えた。血液、精液、皮膚、唾液、毛髪などのごくわずかなサンプルがあれば、特定の個人を犯罪現場と結びつけられるようになった。また、父親を確定できるし、祖先がだれかも教えてくれる。ネアンデルタール人の時代にさかのぼる、生物の死骸から採取したサンプルを使って、進化の歴

史をひもとくこともできる。遺伝子組み換え技術は、農業、バイオテクノロジー、研究、医療に革命をもたらした。現在、がんやアルツハイマーといったヒトの疾患には遺伝的な要因があることがわかっており、新しい予防戦略が今も開発されている。そのなかには、病気を治療、あるいは進行を止めるために遺伝子を編集する遺伝子治療などがある。

現代のDNAをめぐる世界は、段ボール紙を机の上で動かしていたふたりの男を思うと隔世の感がある。あの画期的な発見をした1953年2月28日の夜、家に帰ったフランシス・クリックは、妻にこういった。「ぼくらは大発見をしたらしい」。数年後、彼女は夫にこういった。「あなたはいつも家に帰るとそんなことをいっていたから、わたしはなんとも思わなかった」

下｜ワトソンとクリックはこうしたアルミニウム製の型を使って、DNAのモデルを考えた。それぞれ、窒素を含む4つの塩基を表している。Aはアデニン、Tはチミン、Cはシトシン、Gはグアニン。

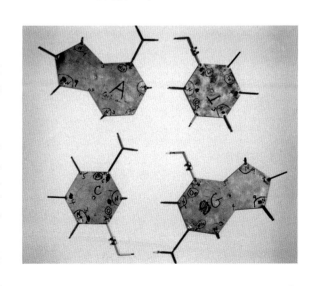

44

ローマ条約

ローマ条約は欧州経済共同体の基本条約で、1957年3月25日に調印された。ここに名前をならべた指導者たちは、大陸を平和的に統合することに史上はじめて成功した。60年のうちにヨーロッパ連合は世界最大の通商圏、そしてアメリカに次いで世界第2位の総生産を誇る経済圏になった。

第二次世界大戦でヨーロッパは戦火に焼かれた。荒廃をまぬがれた国はごくわずかだった。このような戦争は二度と起こしてはならないと、だれもが誓った。イギリスを勝利に導いたウィンストン・チャーチルさえ、1946年にヨーロッパ合衆国を創設すべきだと訴えた。しかし、4年後に始まった遠大な計画に、イギリスは明らかに乗り気ではなかった。1950年、フランスの外務大臣ロベール・シューマンの「戦争を考え

させないだけではない、物理的に不可能にするのだ」という宣言をきっかけに、ヨーロッパの稀代の指導者たちが実現に動きだしたのだ。

　最初の大仕事は1951年の欧州石炭鉄鋼共同体（ECSC）の設立だった。6か国——ベルギー、フランス、イタリア、ルクセンブルク、オランダ、西ドイツ——が集権的な超国家的機関のもとで鉱工業生産を調整することに同意した。これが国家主権を集める

左｜1957年3月25日、コンセルヴァトーリ宮でのローマ条約調印式。ドイツのアデナウアー首相が最前列の左から5番目に座っている。

EN FOI DE QUOI, les plénipotentiaires soussignés ont apposé leurs
signatures au bas du présent Traité.

ZU URKUND DESSEN haben die unterzeichneten Bevollmächtigten ihre
Unterschriften unter diesen Vertrag gesetzt.

IN FEDE DI CHE, i plenipotenziari sottoscritti hanno apposto le loro firme
in calce al presente Trattato.

TEN BLIJKE WAARVAN de ondergetekende gevolmachtigden hun hand-
tekening onder dit Verdrag hebben gesteld.

Fait à Rome, le vingt-cinq mars mil neuf cent cinquante-sept.

Geschehen zu Rom am fünfundzwanzigsten März neunzehnhundert-
siebenundfünfzig.

Fatto a Roma, il venticinque marzo millenovecentocinquantasette.

Gedaan te Rome, de vijfentwintigste maart negentienhonderd zeven-
envijftig.

最初となり、6年後の欧州経済共同体（EEC）
につながった。ECSCの初代委員長を務め
たフランスの政治経済学者ジャン・モネ、
ベルギー元首相ポール＝アンリ・スパー
ク、ドイツの学者で外交家でもあるヴァル
ター・ハルシュタインといった先見の明の
ある人々の勧めもあり、6か国はローマ条

約の立案に着手した。
　調印は1957年3月25日、ローマのカンピ
ドーリオの丘にあるコンセルヴァトーリ宮
で行われた。各国代表の署名のなかにはス
パークとドイツ首相コンラート・アデナウ
アーのもの（上写真の左列上から1番目と2番目）
もあった。事務方の準備が間に合わず、大

問題視された。

　政治的にはともかく、新たな機構の経済的な効果はすぐに現れた。欧州共同体の市場は発展し、ほかの国も参加を強く求めるようになった。当初フランスが難色を示したが、イギリス、デンマーク、アイルランドが1973年に参加した。1981年にはギリシア、1986年にはスペインとポルトガル、1995年にはオーストリア、フィンランド、スウェーデン、2004年にはさらに10か国、2007年にはブルガリアとルーマニアが加わった。そして2013年にはクロアチアが28番目の参加国となった。現在、共同体はヨーロッパ連合(EU)となり、本書執筆時点で世界最大の経済圏、世界第2位の総生産を誇っている。

　ローマ条約の調印後、共同体は統合を加速させた。1993年には単一市場を実現し、ヒト、モノ、カネ、サービスの移動が自由になった。ほとんどの国は共通通貨ユーロを導入した。28か国のうち22か国では出入国管理を撤廃。理事会では多数決で議決される案件がすこしずつ増えている［重要事項は全会一致で、それ以外は多数決での議決が定められている］。

　ローマ条約で謳われた「これまでにないほど密接なつながり」を促進しようというこのような動きに対して、自国の主権が失われると懸念を抱く国もある。イギリスではヨーロッパ連合の存在感が増すことへの拒否感が、2016年6月の国民投票の結果に

量の文書のうち最初と最後のページだけを印刷したものが、かろうじて用意された。文書の上部には「ヨーロッパの人々のこれまでにないほど密接なつながりの基礎を築く」という指導者たちの決意が謳われている。また、「参加国の経済的・社会的発展を確実なものとするため、ともに行動を起こし、ヨーロッパを分断する障壁を取り除き……力を集め、平和と自由を守り、育て、同じ理想を共有するヨーロッパのほかの人々にも参加を呼びかける」と宣言している。

　条約の目玉は関税障壁を撤廃する関税同盟だ。新たな共同体を運営するため、3つの機関を設立するとした。欧州共同体理事会(6か国の首脳で構成される)は重要な決定を行う。委員会は欧州共同体の日常の運営を行い、理事会に勧告する。欧州議会は参加国の国民による投票で選ばれた議員で構成され、限定的な立法権を持つ。新しい機構について、さまざまな分野から批判が集まった。それは民主主義に反する欠陥があるとの指摘で、とくに委員会の人選が6か国の政府による指名で、選挙でないことが

表れた。過半数がEU離脱を支持したのだ。イギリスなど、EUに懐疑的な国が懸念している点は、主に移民と民主主義のふたつだ。労働者が自由に移動できるため、EU域内の貧しい国からの移民が増え、豊かな国の賃金が押し下げられているという批判がある。また、ブリュッセルの欧州委員会にいる「選挙によって選ばれていない役人」が権限を持ちすぎているのではないかという危惧もある。

ヨーロッパ連合は、5億人からなる単一市場に成長した。チャーチルがぶちあげた「だれもが限りない幸福や繁栄、栄光を享受できる」というヨーロッパ合衆国の構想には、眉に唾する人もいるかもしれない。しかし、国境を越える統治と協力という、このまれにみる実験が、数々の紛争の歴史を持つこの大陸に安定と平和をもたらしたということに、異論はないだろう。

2020年2月時点でヨーロッパ連合を構成する28か国

設立時の6か国が赤、あとから参加した22か国（1973年のイギリス、アイルランド、デンマークから2013年のクロアチアまで）が茶。イギリスは離脱し、EU法が適用される移行期間中［2020年12月に終了］。

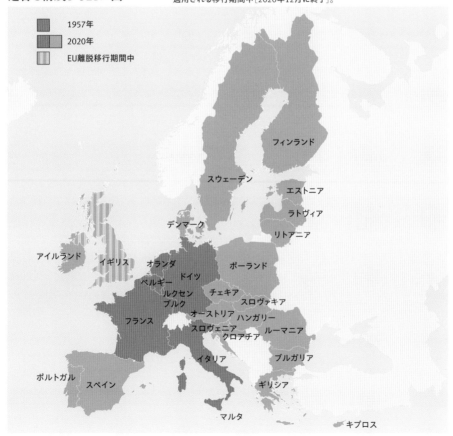

1957年
2020年
EU離脱移行期間中

フィンランド
スウェーデン
エストニア
ラトヴィア
デンマーク
リトアニア
アイルランド
イギリス　オランダ　ポーランド
ベルギー　ドイツ
ルクセン　チェキア
ブルク　スロヴァキア
オーストリア　ハンガリー
フランス　スロヴェニア　ルーマニア
クロアチア
イタリア　ブルガリア
ポルトガル　ギリシア
スペイン
マルタ　キプロス

45

ビートルズのツアー日程表

ビートルズのマネージャーであるブライアン・エプスタインが1枚の封筒にアメリカの都市を走り書きしている。このメモが、リヴァプールの「ファブフォー（素晴らしい4人）」を歴史上最も売れたバンドになるルートに押し出した。日程表は、1964年のグループ初の北米ツアーに先立って作られた。32回のライブをたった33日間でこなしたジョン・レノン、ポール・マッカートニー、ジョージ・ハリスン、リンゴ・スターの4人は、「マージーサイドのモップヘッド（ぼさぼさ頭）」から一気に、世界的なスーパースターの座に駆け上がった。

1963年の時点のイギリスには、「ビートルマニア」と呼ばれるビートルズの熱狂的なファンが、たしかにいた。しかし、リヴァプール出身の4人の若者は、北米ではあまり知られていなかった。「ラヴ・ミー・ドゥ」「プリーズ・プリーズ・ミー」「フロム・ミー・トゥ・ユー」といった曲がイギリスのヒットチャートをにぎわしていたも

上｜ジョージ・ハリスン、ポール・マッカートニー、リンゴ・スター、ジョン・レノンとマネージャーのブライアン・エプスタイン。1964年9月22日、北米ツアーから凱旋帰国したヒースロー空港にて。

ののの、海の向こうではあまりきかれていなかったのだ。アメリカのキャピトル・レコード社はビートルズのレコード販売権を持っていたが、「イギリス人アーティストはアメリカではウケない」という理由で、最初は彼らを相手にしなかった。その態度が変わったのは、1963年12月。ワシントンDCにいたとあるラジオDJが、ブリティッシュ・エアウェイズの客室乗務員に、このグループの最新シングル「抱きしめたい」を持ってきてほしいとたのんだ。このDJが自分の番組でその曲を流しはじめると、リスナーの反応が圧倒的に良かったため、急遽アメリカでもリリースすることになったのだ。この曲はシングルチャートで1位を飾り、ミリオンヒットとなったが、アメリカのメディアはそれでも懐疑的であった。ビートルズはことあるごとに、エルヴィス・プレスリー、リトル・リチャード、バディ・ホリー、カール・パーキンスといったアメリカのアーティストから多大な影響を受けていると公言していたが、大多数の

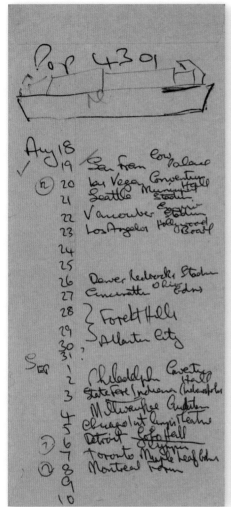

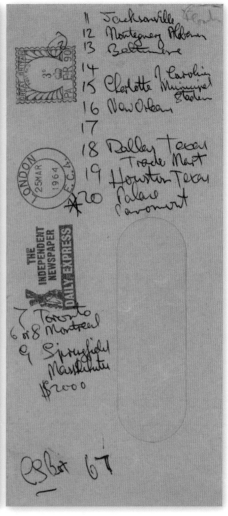

アメリカ人ジャーナリストはそれを敢えて無視し、彼らの髪形やそろいのスーツ、「ビートルブーツ」と呼ばれる靴に注目する記事を書いた。ジャーナリストたちは、バンド名と「beetle（カブトムシ）」という語をひっかけ、イギリスではカブトムシが「はびこって」いると報じた。多くの記事がこのバンドを「イギリスの新しい狂気」「奇抜なパフォーマンス」と断じた。

こうしたネガティブな報道がいきなりなくなったきっかけは、1964年2月9日の『エド・サリヴァン・ショー』出演だ。（人口の

上｜1964年8月18日、北米ツアーの皮切りにサンフランシスコに到着したビートルズのメンバーに黄色い悲鳴をあげるティーンエイジャー。数十人の警察官が出動し、特設フェンスを突破しようとするファンを制止した。

40%に相当する)7,300万人の視聴者がテレビの前に集まると、ジョン、ポール、ジョージ、リンゴの4人が「オール・マイ・ラヴィング」「シー・ラヴズ・ユー」「アイ・ソー・ハー・スタンディング・ゼア」など5曲を披露した。このとき、アメリカのテレビ史上最高の視聴率をはじきだした。のちに「ロックンロール史上最も重要な瞬間」といわれるその夜を境に、北米大陸はビートルズにノックアウトされた。バンドのマネージャー、ブライアン・エプスタインは、欲張りなツアーを計画した。この4人を引きつれてアメリカとカナダ全土をまわろうというのだ。たった33日間に24都市で32公演という怒濤のスケジュールだった。

エプスタインがマネージャーになったのは、1961年にリヴァプールのキャバーン・クラブで彼らの演奏をきいたのがきっかけだ。バンド名は頻繁に変わった(「クオリーメン」、「ジョニー・アンド・ザ・ムーンドッグス」、

「シルバー・ビートルズ」)が、最後に「ビートルズ」に落ち着いた。もともと故郷のリヴァプールやドイツのハンブルグ[1960年–1962年まで活動していた場所]で、少ない客を相手に演奏していたが、評判が評判を呼んで集客は増えていた。ジョン、ポール、ジョージの3人がオリジナルメンバーで、ドラムはピート・ベストが叩いていた。1962年になると、ベストに代わってリンゴ・スターが参加した。エプスタインは、まずデッカ・レコードに売りこんだが、気に入られなかった。その後、EMIのオーディションを受け、レコーディング契約を獲得した。それから1年後、彼らはイギリスでヒット曲を連発し、国民的ヒーローとなった。そうなると、エプスタインは彼らに世界的なブームを起こさせたいと考えるようになった。

ビートルズのアメリカ進出のタイミングは、アメリカ激動の時代と重なった。その9か月前にケネディ大統領が暗殺され、ベトナム戦争が激化し、夏には公民権法をめぐり人種暴動が頻発して国全体を揺さぶっていた。ビートルズはアメリカの人々にこうした暗い現実を忘れる逃げ道を与えた。アップビートな音楽、キャッチーな歌詞、そして今までにないやり方で聴衆の共感を得る才能に人々は夢中になった。1964年8月19日、ツアーはサンフランシスコで始まる。大勢のファンが会場につめかけて彼らを囲み、絶叫した。19人の少女が失神し、50人の熱狂的ファンがステージに乱入しようとし、そのほかにも50人が騒ぎに巻きこまれて怪我をした。4人はホテルにもどるのに、救急車に乗らなければならなかった。乗るはずだったリムジンはファンに包

囲されていたのだ。ニューヨークではファンが暴れ、アトランティックシティでは彼らは半狂乱のファンをまくのに、海産物を運ぶトラックに飛び乗った。チケットは完売に次ぐ完売で、全公演合わせて100万ドル以上の収益をあげ、フランク・シナトラやジュディ・ガーランドの打ち立てた記録を上回った。プレスリーからは祝電が届き、大御所ボブ・ディランもその実力を認めた。「みんな彼らをティーンエイジャーの女の子向けのアイドルだと思っていた……だが、おれにははっきりとみえていた。彼らには売れ続ける実力がある」。批判もあった、とくに上の世代は手厳しかったが、バンドの人気は揺るがなかった。著名な精神科医が彼らを「社会の害悪」呼ばわりすると、ジョージ・ハリスンは、こう切り返した。「精神科医だって害悪だ」

　ビートルズはその後、世界ツアーも果たした。しかし、1966年になる頃には、彼らはうんざりしていた。ジョンは不満を漏らした。「だれも音楽を聴いていない」。ポールは、装甲車の到着を待って警

備のしかれたホテルの部屋にもどるのが恐怖だった。「ぼくはその部屋に座って、こんな独り言をいう。『もう、こんなことを繰り返すのはごめんだ。金ならある。イギリスに帰ろうよ！』。ツアー活動はやめた。レコーディングは続けたが、そのなかでメンバーの関係はぎくしゃくしていった。11枚目にして最後のアルバム『アビイ・ロード』を1969年9月に発表。そのたった数か月後、グループは正式に解散を発表した。ビートルズの面々がグループとして活動したのはわずか、9年間。しかし、彼らの音楽は歴史を動かした1960年代の若者文化のアイコンとして、今も世代を超えて共感を得ている。

右上｜ステージに乱入するファンを阻止するために配備された警察官。8月20日、ラスベガス・コンベンション・ホールで行われたビートルズの公演でのひとコマ。この日行われた2回の公演は両方とも完売。
右下｜8月21日のシアトル・センター・コロシアムでの公演後、警察は観客としてきていたアメリカ人海兵隊員の協力を得て人間の壁を作った。そのおかげでビートルズのメンバーはようやく楽屋にたどり着けた。

46

ネルソン・マンデラの
法廷での陳述

右ページの写真は、人類の偉大なる英雄のひとりであるネルソン・マンデラが、1964年4月20日に裁判所で読み上げた陳述書の最終ページである。「わたしは死ぬ覚悟ができている」というフレーズで知られるこの陳述は、南アフリカ共和国の民主主義の中核をなしている。マンデラは破壊活動の罪で終身刑を言い渡された。しかし、アパルトヘイトに対する彼の勇敢な姿勢は世界中の人々の心を打ち、制度崩壊につながる鍵となった。

45歳のネルソン・マンデラは立ち上がり、羽目板がはりめぐらされた荘厳なプレトリア裁判所の法廷で陳述をはじめた。その内容は、南アフリカ共和国国家に対する破壊活動の罪を否認するものではなかった。ゆっくりと慎重に、81ページにわたる文章を読み上げるなかで、なぜ自分が暴力へかじを切ったのかを説得力のある言葉で説明していった。「破壊活動を計画したのは、どうなってもいいと思ったからでも、暴力を愛するからでもありません。政治的状況を冷静に考えた結果なのです。この状況は、わたしたち黒人に対して、白人が暴虐と搾取と抑圧を長年続けた末に生じました」。経験豊富な弁護士であるマンデラは、事実を巧みに利用してアパルトヘイト──南アフリカの人種隔離政策──を裁判にかけた。

裁判は1963年10月に始まった。治安部隊がヨハネスブルグ郊外のリヴォニアの農場を急襲してから、3か月がたっていた。農場は、アフリカ民族会議(ANC)の武装組織の隠れ家として使用されていた。マンデラもこの組織の創設者のひとりである。農場からは武器の隠し場所が発見された。この

上｜1962年当時のネルソン・マンデラ。この年、南アフリカからの不法出国と、労働者のストライキを扇動した罪で懲役5年の刑となる。その後、1963年−64年に、ふたたび裁判にかけられた。

81.

During my lifetime I have dedicated myself to this struggle of the African people.　I have fought against White domination, and I have fought against Black domination.　I have cherished the ideal of a democratic and free society in which all persons live together in harmony and with equal opportunities.　It is an ideal which I hope to live for and to achieve. But if needs be, it is an ideal for which I am prepared to die.

The invincibility of our cause and the certainty of our final victory are the impenetrable armour of those who consistently uphold their faith in freedom and justice in spite of political prosecution. Amandla Ngawethu! Mandela — April 1964

ときマンデラは、許可なく南アフリカ国外に出た罪で懲役5年の刑に服していたのだが、農場で捕らえられた数人の男とともに裁判にかけられることになった。「暴力的な革命を扇動」するために計画された200件あまりの破壊活動に対し、全員が無罪を主張した。マンデラは証人台に立つよりも陳述するほうを選び［南アフリカの法廷では、証人台に立つと尋問に答える形でしか発言できないため、被告席から声明を読み上げる形を取った］、数週間かけて文章を練った。小説家ナディン・ゴーディマやイギリス人ジャーナリストのアンソニー・サンプソンの助言も受けたとされる。弁護士たちは最後のひと言──「その理想のためなら、わたしは死ぬ覚悟ができています」──を削るように説得した。裁判官が死刑宣告をする後押しになるかもしれないと恐れたのだ。しかし、マンデラは頑として受け入れなかった。

裁判での陳述には、南アフリカを支配す

る少数派である白人政府と、アパルトヘイトに反対するANCの間の半世紀にわたる闘争が盛りこまれていた。1960年3月21日にシャープヴィルという黒人居住区で起きた忌まわしい銃撃事件についても言及した。移動の自由を制限するパス法に反対するデモ隊に警察が発砲し、非武装の69人が死亡、180人が負傷した。「この事件のあと、南アフリカ政府は非常事態宣言を発令し、ANCの活動を禁じました。耐えがたい現実ですが、50年間の非暴力はアフリカの人々になにももたらしませんでした。法律はさらに抑圧的になり、権利はますます制限されただけでした」。マンデラは、1961年の秋にANCの武装組織の立ち上げに関与したことを認めた。「なぜなら、政府がそれ以外の選択肢を残してくれなかっ

下｜1960年3月21日に起こったシャープヴィルの虐殺。写真は事件直後の現場。警察が非武装の黒人デモ隊に発砲し、69人が死亡、多数の負傷者が出た。

たからです」。政府の建物やその他アパルトヘイトの象徴を攻撃する計画を立てたことや、発電所の爆破、鉄道網や通信網の分断を提案したことも認めた。南アフリカの経済に打撃を与えたかった、と彼は述べた。「そうすれば、国の有権者に自分たちの立場を再考させられると考えました」。ただし、メンバーには「作戦の計画や実行において、決して人を殺傷してはならないと命じました」

マンデラは陳述のなかで、ANCは南アフリカ共産党の影響を受けているという検察側の訴えに対し、つぎのように答えている。共産主義者たちは「アフリカ人を人間として対等にみてくれる。ともに食事をして、会話をして、生活して、働く心づもりのある」唯一の政治団体だと指摘した。一方で、これは明らかに海外の支持者に向けてであるが、自身は共産主義者とちがって議会制度を高く評価しているとも述べてい

46｜ネルソン・マンデラの法廷での陳述

る。「『マグナ＝カルタ』、『権利の請願』、
『権利章典』は、世界中の民主主義者が敬意
を抱いている文書です」

　マンデラは裁判官をまっすぐにみると、
陳述の最後をつぎの言葉で終えた。「死ぬ
覚悟はできています」。裁判官はその後裁
判が終わるまで、二度と目を合わせなかっ
た。全員が有罪となったが、死刑はまぬが
れた。マンデラは終身刑となり、まずケー
プタウン沖にある過酷なことで悪名高いロ
ベン島の刑務所に送られた。

　国連安全保障理事会はこの裁判を非難
し、率先して南アフリカ共和国に制裁を加
える働きかけをしたが、政府がマンデラを
釈放するまで30年近くかかった。1990年2
月11日、刑務所から歩いて出てきたマンデ

上｜マンデラを含む8人の男の抗議のこぶし。1964年6月11
日に終身刑をいい渡された後でプレトリアの裁判所から移
送されていくところ。

ラは演説を行い、その最後を1964年の法廷
での陳述でも使った有名な言葉で締めく
くった。

　わたしたちがロベン島を訪れて、ネルソ
ン・マンデラが長年すごした小さな独房を
みせてもらったとき、この投獄がアパルト
ヘイトの撤廃やマンデラの大統領就任につ
ながったことを思い、胸が熱くなった。マ
ンデラの生き方や、マンデラと彼の政府が
訴えた人種間の融和が証明してくれたよう
に、強い覚悟はいかなる現実をも変える力
を持っているのだ。

47

アポロ11号
月面着陸ミッションレポート

アポロ11号月面着陸ミッションレポートにあるこの資料には、この宇宙船が月面着陸したときの船長の心拍数が記されている。これをみると、人類初の月面着陸を地球から見守っていたあのとき、世界中の人々がどれだけ胸ときめかせていたかを思い出す。1969年7月20日。ニール・アームストロングはその日、月面を歩いてすごしたふたりのアメリカ人宇宙飛行士の片割れだった。人生において、ここまで壮大なイメージをかきたてる出来事がほかにあるだろうか？

ソヴィエト連邦が世界初の有人飛行でユーリ・ガガーリンを宇宙に送りこんだのは、1961年4月。アメリカに事実上、挑戦状を叩きつけた。その反応は意外と早かった。わずか5週間後、ケネディ大統領はとてつもない目標をぶちあげた。「1960年代の終わりまでに人を月に着陸させ、安全に地球に帰還させよう」。この宣言の少し前、アメリカ航空宇宙局（NASA）はアメリカ初の宇宙飛行士アラン・シェパードを宇宙に飛ばしていた。続いてアポロ月計画を始動し、ソ連に大きく水をあけた。1967年になると、宇宙飛行の危険度の高さがいたましくも浮き彫りになる悲劇が起きた。アポロ1号計画で火災事故が起き、3人の宇宙飛行士が死んだのだ。それでもNASAは開発を続けた。1968年12月にはアポロ8号が、月

右｜地球上の数億人が見守るなか、アポロ11号のサターン
V型ロケットが、フロリダ州にあるケネディ宇宙センターから発射されたのは、1969年7月16日。その5日後、地球を旅立った宇宙飛行士3人のうちふたりが、人類ではじめて月を歩いた。

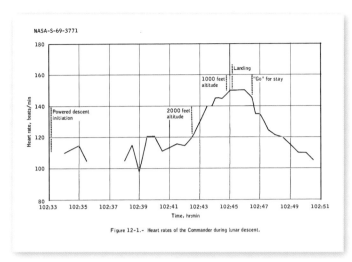

NASA-S-69-3771

Heart rate, beats/min

Powered descent initiation

2000 feet altitude

1000 feet altitude

Landing

"Go" for stay

Time, hr:min

Figure 12-1.- Heart rates of the Commander during lunar descent.

左｜着陸船が月面に着陸したときの、ニール・アームストロングの心拍数の計測値。着陸船が月面についた瞬間、心拍数は1分間に150にまではね上がった。
下｜アポロ11号の宇宙飛行士3人。左から、ニール・アームストロング船長、マイケル・コリンズ、バズ・オルドリン。コリンズはほかのふたりが月面に着陸している間、ひとり残って司令船を操縦していた。

周回飛行に成功。その5か月後にはアポロ10号が月着陸船の最終予行演習を月軌道上で実施した。

　人類史上初の月面着陸を目指したアポロ11号ミッションの実施は、1969年7月に決まった。選ばれた3人の宇宙飛行士はいずれも、過去のミッションで宇宙飛行を経験したベテランぞろい。船長はニール・アームストロング、月着陸船操縦士にバズ・オル

ドリン、司令船操縦士にはマイケル・コリンズが任命された。月着陸船は「イーグル号」、司令船は「コロンビア号」と呼ばれた。コリンズがコロンビア号に残って月軌道を周回する間、オルドリンとアームストロングがイーグル号を操縦して月面に到達し、ムーンウォーク（月面歩行）をする。その翌日、ムーンウォーカーとなったふたりを乗せたイーグル号は、コリンズのコロン

ビア号とドッキング。それから3人そろって地球にもどる。アームストロング船長は、幸運のお守りにライト兄弟のプロペラ（146ページ）のかけらを荷物にしのばせた。

　7月16日の朝4時。3人の飛行士は起床し、宇宙飛行士が飛行前に食べることになっているメニュー、ステーキと卵で朝食をすませた。アームストロング船長は7時前には乗船し、所定の位置についた。その

さらに狭い着陸船イーグル号に移乗。このミッションの一番の難所、月の「静かの海」に降下する準備に入ろうと大きな岩石やクレーターのない場所を探した。着陸候補地点を通過したアームストロングは、いきなりみえてきたクレーターを避けるようオルドリンに注意を促した。燃料の残りが危険なほどゼロに近づいていて、とにかく着陸するしかない。ひらけた場所に着陸船が近づくと、月の砂ぼこりが舞い上がった。その瞬間、アームストロングの心拍数が1分間に150まではね上がったのも無理もない。本来は、彼はここですぐエンジンを切り、ジェット噴射で巻き上がった砂ぼこりが船体に与えるダメージを防ぐべきだったのに、忘れていたのだ。数秒後、イーグル号の無事着地を確認したアームストロングは、こういった。「OK。エンジン停止」。降下段のロケットの燃料が切れるまで、残り1分を切っていた。

7月20日日曜日の16時17分、「ヒューストン、こちら『静かの海』。鷲（イーグル）は舞い降りた」という言葉が飛びこんだ。そのとき、地上の発射管制室の制御盤の前にいた450人以上のスタッフから、大きな安堵のため息がもれた。飛行管制センターが返信した。「みんな息が止まりかけていたが、生き返った」。宇宙飛行士ふたりはそ

数分後、オルドリン、続いてコリンズが狭い司令船に乗りこんで全員がそろう。3人は高さ110メートルを超えるサターンV型ロケットの先端部分にいた。

　9時半をちょうどすぎた頃、世界33か国、数億人もの人々がテレビの前に集まり、ケネディ宇宙センターのあるケープケネディ（現在はケープカナベラル）からの音声にかたずをのんだ。「発射15秒前。内部電源に切り替え。12、11、10、9。点火シーケンス開始。6、5、4、3、2、1、0。エンジンすべて、起動。リフトオフ。ロケット、発射。東部夏時間9時32分。アポロ11号、打ち上げ成功」

　12分後、宇宙船は地球周回軌道に投入された。2時間以上たった頃に、サターンの第3段エンジンが点火。宇宙船はしっかりと月遷移軌道に送りこまれた。その3日後、予定通り月の裏側に入り、月周回軌道に乗る。オルドリンとアームストロングは

の日は興奮さめやらず、予定どおりには眠れなかった。それでも睡眠をとってから、着陸船の外に早々と姿を現した。最初に現れたアームストロングはこのとき、歴史に残るひと言を残した。「これはひとりの人間にとっては小さな一歩だが、人類にとっては偉大な飛躍だ」。このとき彼が a man というべきところを敢えて man といったのかどうかは、当時の音源があってもいまだに意見が分かれる［man といったなら、「これは人間にとっては小さな一歩だが、人類にとっては偉大な飛躍である」となる］。

　アームストロングとオルドリンが月面を歩いたのは2時間あまりだ。その間はじつにあわただしく、ニクソン大統領と交信し、アメリカ合衆国の国旗を手こずりながらも、月の表面に立てた。どんなにがんばっても、旗のポールは5センチメートルしか月面にささらなかった。小さな岩石や表土など、採取した試料を21.5キログラムほどふたつの箱に詰め、「我々は全人類の平和を希求し」月を訪れたと書いたプレートを置いて、ようやく着陸船にもどった。上昇段の離陸用ロケットエンジンを起動したのは、月面着陸から21時間半後だ。そのときアームストロングは、そのジェット噴射で星条旗が「倒れる」のをみたという。

　そこから先は、なにもかも予定通りに運んだ。司令船とドッキングしてから着陸船上昇段を投棄し、3人は地球帰還軌道に入った。7月24日の夜明け、太平洋に着水した。航空母艦ホーネットから21キロメートル離れた地点だ。この母艦にはニクソン大統領、ヘンリー・キッシンジャー国家安全保障対策補佐官、ならびにウィリアム・ロジャーズ国務長官が乗船し、帰還を祝おうと待ちかまえていた。3週間隔離され、あらゆる感染症の可能性を考慮した検疫を受けたあとに、3人の宇宙飛行士はようやくニューヨークの祝賀パレードで、紙吹雪や紙テープの舞うなか、熱烈な歓迎を受けた。

　アポロ11号はアメリカにとっても、乗船した3人の勇敢な男にとっても驚くべき大成功だった。あの心躍る飛行から約半世紀がたった現在にいたるまで、人類は月以外の天体にまだ足を踏み入れていない。

下｜月面着陸準備に入る、着陸船「イーグル」。着陸船本体の下に、細い軸のように飛び出しているのは、検知プローブ。これが月面に触れたタイミングをみて、乗組員は下降エンジンを切る。

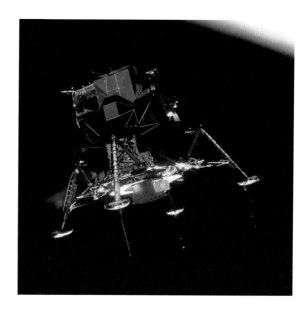

48

ウッドストック・フェスティバルの
チケット

ウッドストック・フェスティバルは間違いなく、ポップカルチャーの歴史のハイライトだ。1969年8月に開かれた「平和と音楽の3日間」にはジョーン・バエズからジミ・ヘンドリックスまで、期待の新人や大御所を万華鏡のようにちりばめた夢のステージが繰り広げられた。これは世界で最も盛り上がった野外音楽イベントであり、その世代全体を代表するアイコンだ。

アフリカ系アメリカ人フォークシンガー、リッチー・ヘブンスがオープニングアクトのステージの上を歩いていく。1969年8月15日金曜日。午後5時を少し、すぎている。ヘブンスは突然の番狂わせに、あわてていた。もともとの出番はその晩、もっと遅くに出てきて4曲演奏するはずだった。それが、トップバッターを飾る予定の人気グループがまだ着かない。渋滞にはまっていたのだ。「渋滞」は、ウッドストックと同義語になっていた。ヘブンスは気づいたらたっぷり3時間演奏していた。「知ってる曲

はやり尽くして、かたまってた。ほかに忘れてる曲はないか思い出そうとして」そのとき浮かんだ曲が「フリーダム」だ。ギターを弾き、有名なゴスペルの歌詞の一部を織りこんだ即興の詞で歌った。このアドリブのアンコールで、彼は一躍有名になった。

　ニューヨーク州北部で3日間の夏の祭典を開催すると主催者が決めたとき、彼らはこれから起きることを想像しきれていなかった。いくつかの町が、開催地にという打診を断った。ある町は、耳を疑うような数の仮設トイレが必要であることを理由に

左｜主催者のもくろみでは、このニューヨーク州北部にある農場で、3日間に20万人も集まればよかった。実際は、その倍以上の観衆が集まった。

右｜ウッドストック・フェスティバル3日間のチケット。現在ではコレクターズアイテムとなり、もともと8ドルだったものがその何倍もの値段で取引されている。

断った。このイベントのほんの1か月前になってようやく、酪農農場の経営者マックス・ヤスガーがこの計画に自分の農地の一部を貸してくれることになった。場所はニューヨーク州ベセル、ホワイトレイクの近くだ。10万枚以上の前売りチケットが売り出されたが、会期ぎりぎりの手配だったため、チケットブースを作る時間も、会場をきっちり囲う時間もなかった。結局、この会場に40万人を超える人々が押しかけ、フェンスのすきまをすり抜け、なかに入っ

てきたので主催者はこのイベントを無料にするしかなかった。ヒッピーやベトナム反戦運動家、人権運動活動家、それにごく普通のオールディーズファンがいっせいに集い、「セックスとドラッグ、ロックンロール」三昧のエキサイティングな長い週末イベントを楽しんだ。

　32組の出演者の顔ぶれは多彩で豪華だ。ジャニス・ジョプリン、グレイトフル・デッド、ジョーン・バエズ、ラヴィ・シャンカール、ジェファーソン・エアプレイ

で運ばれた。まるで、映画『フィールド・オブ・ドリームス』みたいだった。あの映画で天の声がいったよね。『それを作れば、彼らはやってくる』って」。裸足で歩き回ってできた傷から、軽い怪我や食中毒まで、ボランティアの医師や看護師が医療的なサポートをした。会期中、敷地で任務についていた警官はわずか十数人。しかし、暴力事件は1件も報告されなかった。広大な敷地の使用を許可し、ウッドストックの実現に貢献した農場経営者、マックス・ヤスガーは大観衆の前で、こういった。「50万人もの若者が集まり、［この混迷の60年代、なにが起きても不思議ではないこの状況で］3日間大いに楽しめるなら……このアメリカの現実を担うのが、ここにいる若い連中なんだったら、わたしはアメリカの現実を恐れない」

フェスティバルのグランドフィナーレは雨で遅れた。ジミ・ヘンドリックスのバンド、ジプシー・サン＆レインボウズが登場したのは、8月18日月曜日の朝9時だった。月曜日ということもあり大半の人が帰っていたが、このパフォーマンスをきいた人は一生の思い出になるような体験をした。ヘンドリックスはノンストップで2時間あまり演奏したのだ。これは、彼のキャリアの

ン、クロスビー、スティルス、ナッシュ＆ヤングといった面々が名を連ねた。雨が降ったが、気にする人などいなかった。メインテーマは「殺し合うのはやめよう。愛し合おう」。平和と一体感が最高潮に達していた。

イベント運営には、とほうもない壁が次々に立ちはだかった。このエリアの半径8キロメートル以内に車が殺到し、交通がとうとう止まった。コンサートに向かっていた人々はしびれを切らし、車を置いて会場まで歩いた。出演者はヘリコプターでつれてくるしかなかった。（このイベントでスターダムにのし上がった）サンタナのキーボード兼ボーカルのグレッグ・ローリーは当時をこう回想する。「ぼくらは会場までヘリ

なかでも特別長い。最後のほうでは未発表の曲や人気曲を立て続けに演奏し、やがてエレキギターを爆音でうならせたアメリカ国歌のパフォーマンスに突入する。ディストーションを利かせたソロギターコードでアメリカ国歌「星条旗」(104ページ)の歌詞にある「ロケット弾」や「爆弾」を表現した。神聖な曲を大胆不敵にアレンジしたこの曲は、この世代を象徴するナンバーとなった。

ウッドストックの歴史的価値はすぐには現れなかった。無料イベントにしたことで、主催者は大赤字で破産の憂き目にあいかけた。ところが映画やレコードの版権が入るようになるとようやく黒字になり、大もうけした。サンタナのグレッグ・ローリーのような出演者ですら、はじめはこのイベントの意義をわかっていなかった。「当時はこれもただの地方巡業だと思っていた。それが出演してみたら、ここからすべてが始まった」

今ではウッドストックは、現代の音楽史における決定的な分岐点だと評価されている。ジョニ・ミッチェル(このイベントへの出演依頼を断ったことを悔やみ、のちにそれを曲にしている)はこう語る。「ウッドストックは美しさのきらめき」であり、そこで50万人近い若者が「自分たちがとてつもなく大きな生命体の一部だってことに気づいた」

現在では、ウッドストック・フェスティバルの会場のあった小高い場所にはベセルウッズ芸術センターがそびえ立つ。ありとあらゆるジャンルの音楽の野外コンサートが、洗練された貝殻型の巨大屋根の下で開催されている。

上｜ウッドストックのコンサート演目を書いたリーフレット。表に出演アーティストが並ぶ。裏には宿泊案内と、道案内が印刷されている。
左｜早くついた観客は、会場に車を乗り入れた。2日目になると、会場周辺の車がどうにも動かなくなったため、車できた人は帰るようにと当局が指導した。

ティム・バーナーズ＝リーの
World Wide Web メモ

1989年にティム・バーナーズ＝リーが情報管理について書いた提案書。彼は科学者たちが楽に情報共有できる仕組みを考えた。World Wide Webは世界を変えた。こんにちでは、世界の大半の人がWeb上でネットサーフィンをしたり、買い物をしたり、ブログを書いたりするようになった。しかし、ティムの思いとはうらはらに、Webは憎しみや詐欺や監視のツールになっている。

ティム・バーナーズ＝リーの天才ぶりは、幼い頃からきわだっていた。住んでいたイギリスのロンドンにある自室には鉄道模型があって、彼はそこで電車を電子制御する装置を作ることに熱中した。「結局は、電車そのものよりも装置のほうに夢中になっていった」と、ティムはいう。その後、オックスフォード大学で物理学を学んでいたときには、古いテレビを利用してコンピュータを作っている。

```
                              The World Wide Web project

                         WORLD WIDE WEB

        The WorldWideWeb (W3) is a wide-area hypermedia[1] information retrieval
        initiative aiming to give universal access to a large universe of documents.

        Everything there is online about W3 is linked directly or indirectly to this
        document, including an executive summary[2] of the project, Mailing lists[3] ,
        Policy[4] , November's W3 news[5] , Frequently Asked Questions[6] .

                What's out there?[7]Pointers to the world's online information,
                            subjects[8] , W3 servers[9], etc.

                Help[10]              on the browser you are using

                Software             A list of W3 project components and their current
                Products[11]         state. (e.g. Line Mode[12] ,X11 Viola[13] ,
                                     NeXTStep[14] , Servers[15] , Tools[16] , Mail
                                     robot[17] , Library[18] )

                Technical[19]        Details of protocols, formats, program internals
                                     etc

        <ref.number>, Back, <RETURN> for more, or Help:
```

1980年代、バーナーズ＝リーは、スイスにある欧州原子核研究機構（CERN）でソフトウェアエンジニアとしてその才能を発揮する。彼が驚いたのは、CERNに関わる大半の科学者たちが、実験や研究に関する情報を共有するのに苦労していることだった。データはそれぞれ別のコンピュータに保存されていて、取り出すためにはそのコンピュータにログオンしなければならず、ときにはコンピュータごとに異なるプログラムが使えなければならない。彼はこう振り返る。「みんながコーヒーを飲んでいるところにいって、直接きくほうがてっとり早かったりしました」

バーナーズ＝リーは、「インターネット」という当時あまり知られていなかったプラットフォーム上に、データを共有できる仕組みを作ろうとした。インターネットを利用すれば、コンピュータ同士が通信できる。インターネットは、冷戦時代の核攻撃

左ページ｜世界初のWebページのスクリーンショット。このページは1991年8月に公開された。
右｜ティム・バーナーズ＝リーによるWorld Wide Webの原案。上部に「vague but exciting（よくわからないが、おもしろい）」と書きこまれている。書きこんだのはバーナーズ＝リーの上司で、もっと時間をかけて練ってみたらどうかと彼にアドバイスした。

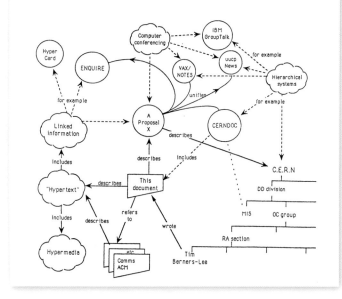

上｜ティム・バーナーズ＝リー。現在は、World Wide Web の未来を守り、より良いものにするための活動に打ちこんでいる。

に耐えうる通信網として、1960年代後半にアメリカの国防総省により開発された。インターネット上では、情報、とりわけ文書のやりとりは手間と時間がかかる。バーナーズ＝リーは、ハイパーテキストという別の新しい技術を使って関連する情報どうしをつなげば、インターネットを情報共有のプラットフォームとして利用できることに気づいた。こうして1989年3月、簡単に利用できる世界的な情報システムの構想をまとめた。いまや有名になった文書『*Information Management: A Proposal*　情報管理：提案』である。だが、この構想はすぐには受けいれられなかった。ただ、バーナーズ＝リーの上司は、提案書の最初のページに「vague but exciting（よくわからないが、おもしろい）」と書き残している。バーナーズ＝リーはあきらめずに、この構想をつきつめていった。そして、NeXT 社（Apple の共同創立者スティーブ・ジョブズの会社）

の初期のコンピュータ上で、World Wide Web を構成する3つのパーツを書いた。文書を Web 上にフォーマットされた形で表示するための HyperText Markup Language（HTML）、ファイルの名前と場所を特定するユニークなアドレスである URI（Uniform Resource Identifier、通称URL）、データの検索を可能にする Hypertext Transfer Protocol（Web アドレスの「http」でおなじみ）である。世界初の Web ブラウザ（WorldWideWeb.app）と世界初の Web サーバー（httpd）も設計し構築した。この画期的な Web サイトが公開されたのは、1990年12月20日のことである。

　当初、Web の利用は CERN やそのほかの研究所の人間に限られていたが、1991年8月に一般に無料で公開された。家庭用コンピュータから無料のブラウザを使ってインターネットに簡単にアクセスできるようになり、このときはじめてインターネットは身近なものになった。しかし、この画期的な Web サイトに対する当時の反応はかんばしくなかった。1993年時点で Web に接続していたサイトはわずか130。2年後、その数は2万3,500になった。2000年には1,700万にはね上がり、本書の執筆時点ではおよそ20億の Web サイトが存在している。

　Web を発明したとき、バーナーズ＝リーは、Web がわたしたちの住む世界のあり方を根本から覆すだろうと予測し、一方で、その破壊力を懸念した。どちらの意味でも彼は正しかった。Web はわたしたちの通信手段を変え、買い物も学びも遊びも変えた。しかし同時に、彼の言葉を借りれば「詐欺師にチャンスを与え、憎しみを拡散する者に声を与え、あらゆる種類の犯

罪を実行しやすくした」。ヘイトスピーチ、個人情報の悪用、国家ぐるみのハッキングは、もはやWebの世界では日常のものとなった。そしてバーナーズ＝リーの夢であった、すべての人に開かれた自由なWebの世界は、GoogleやMeta（旧Facebook）、Twitterといった巨大なネット企業によって脅かされている。

Webの発明から30周年を記念して、バーナーズ＝リーは次のように述べた。「Webは、はたして本当に善なる力なのか、多くの人が懸念し疑問を抱いている」。バーナーズ＝リーが設立したWorld Wide Web財団は、Webの悪用を食い止めるための新しい基準やガイドラインを策定している。政府や企業や一般の人々に求められるのは、「良いWeb」を新たに作るためにより積極的な役割を担うことである。バー

ナーズ＝リーは、いう。「Webをよくするために力を尽くすことは、今の時代において、なによりも大切な目的のひとつです。簡単ではないでしょう。しかし、夢をあきらめずに必死で努力をすれば、わたしたちは理想のWebを手に入れることができるのです」

バーナーズ＝リーはWebから利益を得ていないが、大きな栄誉を授かった。イギリスのエリザベス女王からナイトの称号を授与され、現代における最も偉大な発明家のひとりとして、つつましくその名を連ねている。非凡なるティム・バーナーズ＝リー卿以上に、わたしたちの生活スタイルを変えた人物はいないといえる。

下｜ジュネーブ近郊のCERNビジターセンターに展示されている世界初のWorld Wide Webサーバー。赤字で書かれたメモが貼られている。「電源を落とさないこと！！」

宇宙の地図

21世紀版「近傍宇宙」の地図は、地球自身がある天の川銀河からみた銀河の分布を表している。銀河を点で示すその地図をみると、宇宙の気が遠くなるほどの大きさ、それにその複雑な構造を理解するのはひと筋縄でいかないことがわかる。これを作ったのは、アメリカ、フランス、イスラエルの天文学者チーム。それぞれの銀河の地球からの距離を、色分けして示す。近いほど青く、遠いほど赤い。

宇宙の壮大さは今ひとつ、ピンとこない。しかしこの驚くべき地図は、その大きさを理解する有効な手がかりになる。この地図を2013年に作った天文学者たちは、これを3次元の動画モデルで発表した。ここに記述されているのは、観測可能な宇宙全体のほんのかけらでしかない。観測可能な宇宙にはおびただしい数の銀河があり、全体を収めるにはこれよりも160倍大きな地図が

下｜「宇宙の地図」。中央にみえる暗い影は、天の川銀河。天文学者はここから無数の銀河を観測している。この地図では、ひとつの銀河をひとつの点で表している。近い銀河ほど青く、遠い銀河ほど赤い。左上の黒い点は、天の川銀河から最も近いアンドロメダ銀河。

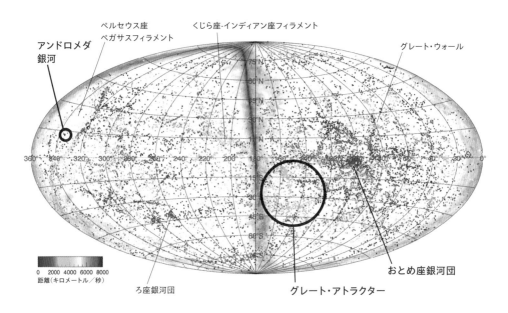

必要になる。

　地球の近傍にある宇宙だけでも、じゅうぶんに巨大だ。宇宙の距離は光が1年間に飛ぶ距離、「光年」で表す。これは、1秒間に進む距離だと約30万キロメートルだ。地球から1億5千万キロメートル離れた太陽からの光はたった8分で地球に届く。そして、1光年は約9兆5千億キロメートルになる。太陽と、太陽系の惑星は、天の川銀河全体のごくわずかな一部でしかない。太陽は地球から最も近い恒星だ。その次に近いのが、ケンタウロス座にあるプロキシマ・ケンタウリで、4光年、つまり、40兆キロメートル近く離れている。この地図には、地球から3億光年の範囲に収まるすべての銀河が示されている。ということは、地球にいるわたしたちと、ここにある色のついた点のひとつひとつ、つまり銀河との距離は、想像を絶するほど遠い。地球のある天の川銀河から最も近い銀河はアンドロメダ大星雲、つまりアンドロメダ銀河だ。晴れ渡った夜なら、双眼鏡でみても確認できるだろう。この地図では、左端の黒い点。地球からは250万光年の位置にある。

上｜アンドロメダ銀河は天の川銀河から最も近く、裸眼でもみえるが、地球からは250万光年も離れている。つまり、地球からおよそ250万×10兆キロメートル離れていることになる！　アンドロメダ銀河は約1兆もの恒星でできている。

　地球のある天の川銀河の外に広がる宇宙の謎をみごとにひもといたのはアメリカの天文学者、エドウィン・ハッブルだ。1919年に彼はアメリカ・カリフォルニア州にあるウィルソン山天文台の職員になった。この天文台には当時、世界最大の天体望遠鏡、口径2.5メートルのフッカー反射望遠鏡があった。やがてハッブルは、宇宙は膨張していて、遠くにある銀河ほど猛烈な速さで遠ざかっているという考えを証明した。この発見のおかげで、後世の天文学者はさらに充実した宇宙の全体像を打ち立てることができるようになった。発見のひとつに、天の川銀河から比較的近いアンドロメダ銀河がじつはこちらに接近しているというものがある。アンドロメダ銀河と天の川銀河の相互重力は、宇宙のほかの部分の膨張する力よりも大きい。つまり、今から4、50億年たったら天の川銀河はアンドロメダ銀河と衝突してしまう！

現在では、宇宙は今から138億年前にすさまじいエネルギーの爆発——ビッグバン——から誕生したといわれている。ビッグバンにも諸説あるが、最も広く天文学者に受け入れられているのは、「インフレーション」説だろう。この説によると、時間と空間と物質がふたつの段階をへて作られた。まず、非常に短い、「低温の」膨張が起きた。このとき、この宇宙は光速よりも速い、指数関数的な速さで特異点（シンギュラリティ）から膨張した。次に「高温の」ビッグバンが起きる。そのときに宇宙で光子を含

むありとあらゆる素粒子が作られた。また、宇宙の95％を占めるという正体不明の暗黒物質と暗黒エネルギーも誕生した。インフレーションの前に起きた量子の揺らぎによって、物質の密度がほんのわずかにゆがみ、現在の宇宙のいたるところにみられる恒星、惑星、銀河といった宇宙構造の

下｜「近傍宇宙」の拡大地図。銀河が白の球で示されている。天の川銀河から最も近い銀河団が、おとめ座銀河団。赤と黄色で示した巨大な引力源「グレート・アトラクター」は、濃い青で示したうみへび座銀河団のあたりから、たくさんの銀河を引き寄せている。

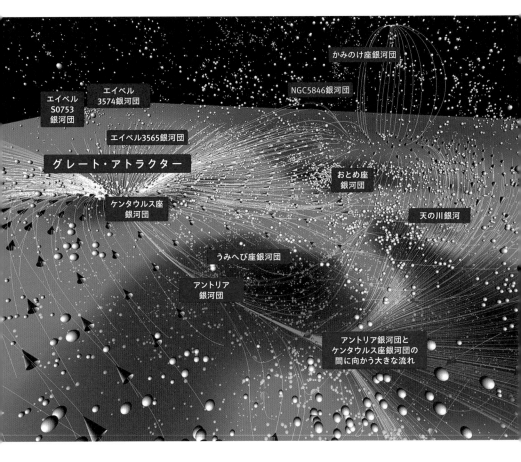

種がばらまかれた。それ以降、宇宙は温度を下げながら、膨張している。目立つ銀河団のひとつに、おとめ座銀河団がある。この地図では、青く、中心部分から右寄りに位置している。これは、地球から最も近い銀河団だが、それでも、5千万光年という気の遠くなるほど遠いところにある。「グレート・アトラクター」と呼ばれるやはり遠くにある宇宙の大規模構造は、高密度領域で、近くにある物質を勢いよく吸いこんでいる。

望遠鏡の進化とともに、人類は宇宙に関する知識を急速に増やしている。反射鏡が大きければ大きいほど、望遠鏡の性能はよくなる。面白いことに、最近の天文分野では、学者は宇宙の地図を作るために望遠鏡を肉眼で覗くのではなく、デジタルセンシングのデータを活用している。1960年代のアメリカの発明であるCCD（電荷結合素子）のおかげで、さらに深い宇宙も望遠鏡で徹底的に調べられるようになった。この驚くべき技術は、チリのセロ・アルマゾネスに建設されるいわゆるELT望遠鏡（超大型望遠鏡）によってさらに劇的な発展がみこまれる。この望遠鏡の主鏡は口径39メートル。サッカーフィールドの横幅の半分ほどある。

ハッブルが愛用した口径2.5メートルのフッカー反射望遠鏡と比べると、隔世の感がある。しかし、この偉大なる天文学者は、後年彼の名にちなんで名づけられた宇宙望遠鏡のおかげで人々の記憶に永遠に

上｜ヨーロッパ宇宙機関（ESA）が2009年に打ち上げた天文衛星「プランク」。この宇宙望遠鏡のおかげで、宇宙の規模とその正体について新しいことがどんどん解明されている。

残った。このハッブル宇宙望遠鏡は地上観測より格段に鮮明な画像を提供してきた。しかしこれもやがて、2021年にアメリカ航空宇宙局（NASA）が打ち上げる予定のジェイムズ・ウェッブ宇宙望遠鏡の登場によって、過去のものになる。この最先端の望遠鏡は、地球から150万キロメートル離れた軌道で周回し、宇宙についてさらに多くの知識をもたらしてくれる期待を一身に集めている。

宇宙のことがわかればわかるほど、きっとどこかに別の生命体がいると信じる天文学者は増えている。ロンドン郊外にあるグリニッジ天文台のトム・ケルスはこう語る。「宇宙にあるすべての銀河を見渡したら、生命が居住できる可能性のある惑星は、これまで生きてきたすべての人間の鼓動よりもたくさんあるはずだ」

図版クレジット

索引

[著者]

ピーター・スノウ
Peter Snow

ジャーナリスト、歴史家、ブロードキャスターとして高い評価を得ている。オクスフォード大学卒業。1966年から1979年までITN（英国の独立テレビニュース）の外交・防衛特派員を務め、1980年から1997年までBBCの「ニュースナイト」を担当した。選挙アナリストとして人気があり、長年にわたり、選挙の夜には欠かせない存在だった。大英帝国勲章（CBE）メンバー。

アン・マクミラン
Ann Macmillan

1946年生まれ。カナダで最も著名なジャーナリストの一人。トロント大学卒業。2013年に退職するまでの40年間、カナダ放送協会のロンドン特派員、支局長を務めた。

[訳者]

安納令奈 [あんのう・れいな]

英日翻訳者。訳書に『動物の言葉 驚異のコミュニケーション・パワー』、共訳書に『グレート・リセット ダボス会議で語られるアフターコロナの世界』（以上、日経ナショナル ジオグラフィック）、『世界で読み継がれる子どもの本100』（原書房）などがある。

笹山裕子 [ささやま・ゆうこ]

英日翻訳者。訳書に『すごい博物画 歴史を作った大航海時代のアーティストたち』（グラフィック社）、『真夜中の北京』（エンジン・ルーム）、共訳書に『アウシュヴィッツのタトゥー係』（双葉社）などがある。

中野眞由美 [なかの・まゆみ]

大阪府在住。訳書に『12週間の使い方』（パンローリング）、『ちいさなメイベルのおおきなゆめ』『あかちゃん いまどのくらい』（潮出版社）などがある。

藤嶋桂子 [ふじしま・けいこ]

プログラマを経てIT関連の英日翻訳者となる。近年は児童書や絵本の翻訳も手がけ、訳書に『まっくらぬまのおうさま』（潮出版社）、共訳書に『ドリトル先生アフリカへ行く』（竹書房）などがある。

Treasures of World History: The Story of Civilization in 50
Important Documents
by Peter Snow and Ann MacMillan

Design and map copyright © Welbeck Non-fiction Limited 2020
Text copyright © Peter Snow and Ann MacMillan 2020
First published in 2020 by Welbeck
an imprint of Welbeck Non-Fiction Limited,
part of the Welbeck Publishing Group
20 Mortimer Street, London, W1T 3JW
Japanese translation rights arranged with Welbeck Publishing
Group Limited, London
through Tuttle Mori-Agency, Inc., Tokyo

［ヴィジュアル版］

歴史を動かした重要文書

ハムラビ法典から宇宙の地図まで

2022年1月30日　初版第1刷発行

［著者］

ピーター・スノウ＋アン・マクミラン

［訳者］

安納令奈＋笹山裕子＋中野眞由美＋藤嶋桂子

［発行者］

成瀬雅人

［発行所］

株式会社原書房

〒160–0022 東京都新宿区新宿1–25–13

電話・代表 03(3354)0685

http://www.harashobo.co.jp

振替・00150–6–151594

［ブックデザイン］

小沼宏之［Gibbon］

［印刷］

シナノ印刷株式会社

［製本］

東京美術紙工協業組合